불편한 개인택시

김응주

서울 중동고등학교와 연세대학교 건축공학과를 졸업한 후, 미국 미시간주립대학교에서 제품포장학 석사 학위를 취득하였다. 이후 KAIST 경영대학원 AIC 과정을 수료하며 학문적 기반을 탄탄히 다졌다.

삼성전자 포장연구소 소장으로 재직하며 국내외 포장 산업 발전에 기여하였으며, 이후 포장컨설팅 회사 Zipack의 대표 포장기술사로서 삼성전자와 SK하이닉스를 비롯한 80여 개 기업에 컨설팅을 제공하며 풍부한 경험을 쌓았다. 또한 MSU, 송담대학교, 연세대학교에서 포장학과 강사로 강의하고, 한국포장학회 국제세미나 순차 통역사로 활동하며 전문 지식을 널리 공유해 왔다.

현재는 개인택시를 운영하며 승객들과 나누는 대화 속에서 삶의 가치를 다시금 발견하고 있다. 모든 직업이 지닌 고유한 의미를 존중하며, 그 안에서 얻은 깨달음과 이야기를 글로 정리하여 더 많은 사람들과 나누고자 한다.

불편한 개인 택시

오늘도 '사람'을 만나러 갑니다

김응주 에세이

목 차

3장 다양한 직업   99

4장 장년의 삶   135

외국인
승객들

세 종교를 믿는
미국인

미국인 젊은 여성이 강남까지 승차했다. 강남에 있는 초등학교에서 영어담당 교사로 일한다는데 본인은 기독교, 유대교, 이슬람교를 다 믿고 있다고 한다. 세 종교가 모두 호칭만 다르게 유대교는 야훼, 이슬람은 알라, 기독교는 God으로 부르는 하나님을 믿고 있고, 아브라함을 신앙의 조상으로 인정하는 동일한 종교인데 인간이 만든 교리만 다를 뿐 무슨 차이가 있냐고 하면서, 본인 손목의 문신을 보여주는데 아래 사진과 같이 유대교를 상징하는 다윗의 별, 기독교를 상징하는 십자가, 이슬람을 상징하는 초승달이 나란히 새겨져 있었다.

손목에 있는 문신을 보고 3대 종교중 하나만 믿는 사람들이

불편한 개인택시

문제제기를 하지 않느
냐고 하니, 소위 말하
는 근본주의자들이 항
상 시비를 걸지만 본인
은 3대 종교의 장점만
믿고 있다고 응답하며
논쟁의 자리를 피한다

고 한다. 손목 문신이 신기해서 사진을 찍어도 되느냐고 하니 흔
쾌히 손목을 내밀어 주었다. 내게도 종교를 묻기에 나도 기독교
를 믿지만 모든 종교를 인정하고 그 장점들만 본다고 하니 본인
과 동일한 신앙관이라며 무척 반가워한다.

현재 32세인 교사의 아빠가 미국에서 철학과 대학교수로 있
다고 해서 아빠 나이를 물어보니 나와 동갑이었다. 내 나이가 얼
마 정도로 보이느냐고 물어보니 40대로 보인다고 해서 좀 더 나
이가 있다고 하니 최대 45세로 보인다고 한다. 웃으며 당신 아빠
와 동갑이라고 하자 깜짝 놀라며 아빠는 완전히 노인으로 보이
는데 너무 젊어 보인다며 비결을 물어본다.

20년 이상 아침 1시간 요가, 오후 2시간은 헬스, 수영, 암벽,

외국인 승객들

자전거 중 하나를 하고 있다고 하니 본인은 물론 아빠에게도 전화해서 꼭 운동을 하라고 해야겠다고 하며 내 사진을 찍어 아빠에게 보여주어도 되냐고 물어 나도 흔쾌히 허락하였다. 좋은 음식도 젊음 유지에 중요하지만 꾸준한 운동이 확실히 효과가 있는 것 같다.

폴란드
여성 바둑기사

서현역 공항버스 하차 정류장에서 머리카락이 짧은 외국인 여성이 다가오더니 신현리로 갈 수 있느냐고 물어와 타라고 하고, 여행용 가방을 들어 뒷 트렁크에 싣는데 무게가 가벼웠다. 택시 출발 전 한글로 적힌 목적지 주소를 받아 내비게이션에 입력하고 출발하면서, 어느 나라에서 왔느냐고 물으니 폴란드인이라고 한다. 한국에서 프로 1단 바둑기사로 바둑학원을 운영하고 있고, 한국에 온 지 10년이 넘었는데 한국어를 조금씩 배우고는 있지만 여전히 어렵다고 한다. 외국인으로 한국기원에서 프로 1단 입단하기가 쉽지 않았을 텐데 대단하다고 하고, 나도 바둑 아마 3단, 프로 3급으로 가끔 인터넷 바둑을 즐긴다고 하니 반가워한다.

바둑학원은 외국인과 한국 아이들을 대상으로 가르치고 있고 코로나 이전에는 양재동에서 바둑교실을 운영하다가 코로나로 폐쇄하였고, 지금은 충무로에서 운영하고 있다고 한다. 여행용 가방 크기와 무게를 보니 폴란드는 아니고 가까운 동남아에 다녀오냐고 하니 홍콩과 마카오에 휴가 다녀오는 길이라며, 여행과 카드게임을 좋아해서 홍콩 카지노에서는 텍사스 홀덤 게임을 즐기면서 돈을 좀 잃었지만 마카오에서 모두 복구하고 조금 따서 오는 길이라며 싱글벙글한다. 직업이 프로 바둑기사라 기본적으로 승부욕이 있다며 가끔 카지노에 카드게임 즐기려고 홍콩과 마카오에 간다고 한다. 카드게임이 목적이면 굳이 외국까지 안가도 외국인이니 국내 호텔 카지노에 갈 수 있지 않느냐고 했더니 바람도 쐴 겸 겸사겸사 해외로 나간다고 했다.

1주일 후, 강남역 근처에서 친구들과 저녁모임 후 태재고개를 넘어가는 1151번 광역버스를 타고 귀가하는데, 판교역에서 폴란드 프로기사 아가씨가 친구와 함께 버스에 올라 내 뒤쪽 자리에 앉는다. 조우한 반가움에 인사를 하니 깜짝 놀라며 어디까지 가느냐고 물어 2정거장 뒤에 내린다고 하니, 아쉬워하며 택시 필요할 때 전화 주겠다고 하며 작별인사를 했다.

불편한 개인택시

미국인
영어 유치원교사

서판교 낙생고등학교 근처 영어유 치원에서 영어를 가르치는 미국인 흑인 여교사가 승차했다. 한국에 온 지 3년째인데 유치원 아이들, 외국인 친구들과 영어만 사용하다 보니 한국어를 조금밖에 못한다고 한다. 영어유치원에는 약 30여 명의 원어민 영어교사들이 있는데 분당에 그 정도 규모로 여러 곳이 있다고 한다.

미국에서 바이든과 트럼프가 대통령 후보로 결정되었는데 누구를 지지하냐고 물어보니, 바이든은 나이가 너무 많아 반쯤 치매에 걸린 것 같고, 트럼프는 대통령후보 시절부터 불법행위가 많아 본인은 두 사람 다 지지하지 않는다고 하면서 전 미국 UN

대사였던 니키 해일리를 지지했는데 트럼프 지지자들에게 밀려 중도 탈락한 것이 많이 아쉽다고 한다. 버락 오마바가 최초로 미국 흑인대통령이 되었었고 이제는 여성대통령이 나와야 할 때인데 그렇지 못한 미국이 많이 아쉽다고 한다.

그럼에도 불구하고 두 사람 중 한사람을 뽑아야 한다면 누구를 뽑을지 물어보니, 반쯤 치매에 걸린 것 같은 바이든과 치매가 걸렸으면 하고 바라게 되는 트럼프 중 한사람을 선택해야 한다는 것이 서글프다고 해, 같이 웃었다. 그러면서도 최종적으로는 승률이 높은 쪽, 즉 될 사람에게 표를 주고 싶다고도 한다. 선거는 어느 나라나 최악을 피하고 차악을 뽑는다고 하는데, 선출될 가능성이 높은 후보를 택하게 되는 것도 공통의 군중심리인 것 같다.

불편한 개인택시

일본인
문상객

성남개인택시조합에 볼 일이 있어 갔다가 집으로 오려는데 분당 메모리얼 파크에 다녀오던 장례버스가 조합 앞에 멈추더니 상주가 급하게 내려 사무실 안으로 뛰어들어갔다. 무슨 볼 일이 있는가 보다 생각하고 집으로 택시를 출발하려는 순간, 상주가 내게로 달려와서 조문객 중 일본인 어르신이 있는데 서울 동대문에 있는 호텔까지 태워 줄 수 있냐고 물었다. 시간이 오후 4시 30분이고 교통이 막히는 시간이라 거절하려고 했으나 상주의 애처로운 모습을 보니 거절할 수가 없어 승낙을 하였다.

잠시 후 70대 중반 일본인 어르신과 40대 한국인 여성 통역사가 택시에 타서 서울로 출발하였다. 가는 도중 두 사람이 끊임없이 고인에 대해 대화를 하는데 예전에 50% 이상 알아들었던 일본어가 15% 정도 밖에 들리지 않아, 언어라는 것이 꾸준히 하지 않으면 안 된다는 생각이 새삼 들었다. 목적지까지 가는 도중 교통정체가 시작되어 막히기 시작하자 일본인 어르신이 호텔까지 얼마나 시간이 걸리는지 통역사에게 물어보면, 그나마 일본어로 바로 대답은 할 수 있었다. 도로가 너무 장시간 막히니 자동차전용도로에서 어르신이 소변을 못 참겠다며 택시를 잠깐 세워 달라고 하셔서서 숲이 있고 고가도로 기둥이 있는 곳으로 차를 정차하고 적절한 장소로 안내해 주니 많이 고마워하신다. 도로정체를 뚫고 1시간 40분 만에 호텔에 도착하니 고맙다며 팁을 주신다. 일본어를 다시 공부해야겠다는 자극이 있었던 운행이었다.

불편한 개인택시

서울공항
미국인 근로자

              비가 많이 내리는 어린이날 분당 오리에서 수서역까지 젊은 남성 승객을 태우니 SRT가 10시 40분 출발이라고 한다. 도착 예정시간을 보니 10시 36분이라 조금 여유 있게 도착해야 하니, 조금 돌아가더라도 빠른 길로 가자고 하여, 분당 수서간 고속화도로를 이용하여 수서역에 도착하니 10시 32분으로 8분의 여유가 생겼다며 감사 인사를 한다. 젊은이를 내려주고 분당으로 돌아오는데 서울공항 건너편에서 콜이 온다. 콜을 승낙하고 현장에 도착하니 50대 미국인 중년 여성 두 명이 택시에 승차했다. 미국 오래건주에서 7년 전 한국으로 와서 서울공항에서 미군들과 함께 공항시스템 관리 일을 하고 있다고 하며 집에서 직장까지 걸어서 5분 거리라 정말 편하다고 한다.

강동구에 있는 한의원이 오늘 공휴일인데 영업한다며 침을 맞으러 간다고 해서 한국에서 수지침을 배워보라고 설명해주니 관심을 가지기에, 내가 과거 미국에서 수지침으로 미국인 여러 사람을 치료해주었고, 지금도 수시로 건강을 위해서 수지침 대신 지압봉으로 손바닥의 반응점을 마사지 해주며 건강관리를 하고 있다고 하니 배워보고 싶다고 한다.

목적지까지 가는 도중 미국의 대통령 후보가, 반쯤 치매가 걸린 바이든과 치매가 걸리면 좋을 트럼프인데 누구를 지지하냐고 물으니 박장대소하며 정말 적절한 표현이라고 한다. 최근 트럼프가 본인이 대통령이 되면 주한 미군을 철수한다고 하는데 어떻게 생각하느냐고 물으니, 정말로 트럼프가 차기 대통령이 되면 그렇게 할 수도 있을 것 같다고 하면서, 그러면 한국도 북한과 같이 핵무장을 해야 하는데 그게 도화선이 되어 일본, 대만, 이란 순으로 핵무장이 되지 않겠냐며 트럼프를 러시아의 푸틴, 중국의 시진핑, 북한의 김정은에 빗대며 같은 종이라고 강하게 비판한다. 바이든은 나이가 많기는 하지만 그래도 젊은 부통령이 있고 오랜 외교경험으로 나름 균형외교를 하고 있는데, 트럼프는 남의 말을 전혀 안 듣고 본인 맘대로 하려고 한다고 해서, 내가 대통령 선거 전 트럼프의 성추행 관련 재판 판결이 나와서 구속되었으면 좋겠다고 하자, 자신들도 꼭 그렇게 되기를 매일 기도한다고 한다. 그러면서 윤 대통령에 대해서 내게 물어본다. 혹시 윤 대통령도 트럼프과로 보이냐고 되물으니, 본인들도 그렇게 생각한다며 웃는다.

UAE
가족

         금요일 저녁 8시경 정자동 더블트리 바이 힐튼호텔에서 콜이 왔다. 승객은 UAE에서 온 아빠와 아들로 분당 서울대병원에 어머니 병문안 가는 길이라고 한다. 66세 어머니가 4개월 치료비자로 분당 서울대병원에서 입원치료 중이고 본인은 와이프와 아들 셋이 힐튼호텔 스위트룸에 2개월 예약해서 머무르고 있다고 한다. 나이는 42세이고 함께 병문안 함께 가는 아들은 5남 2녀 자식 중 둘째라고 한다. 자식을 많이 가지는 특별한 이유가 있냐고 하니 종교적으로 많이 번창하라고 하고 있고, UAE 정부에서도 인구 200만이 너무 적다고 적극적으로 다산을 권장하고 있다고 한다. 다음 주 월요일 아버지가 한국에 오시는데 함께 가족들이 갈만한 장소 추전을 해달라고

불편한 개인택시

해서 주말은 사람들이 많으니 가능하면 주중에 가라고 하며 에버랜드, 서울대공원, 롯데월드, 남산, 경복궁, 청계천 등을 추천해주니 내 택시를 이용할 수 있냐고 물어와 가족이 6명이면 호텔 매니저에게 요청해서 대형 택시를 이용하라고 안내했다.

내가 지난 1월 말에 다녀온 두바이와 아부다비 사진들을 보여주니 모스크에 대해 여러 가지 설명을 해주며, 날씨가 덥지 않을 때 잘 다녀왔다며 지금은 너무 더워서 관광이 불가능할 것이라고 한다. UAE에서는 아이 한 명당 정부에서 매월 600달러를 생활비로 제공하고 있어, 월 4,200달러를 받고 있고 대학까지 무

료교육에다 외국으로 유학 가게 되면 정부에서 학비와 생활비도 무상으로 지원해주고, 결혼을 하게 되면 무상 임대아파트와 결혼 축의금으로 12만 달러를 제공해준다고 한다. 지난 2월 두바이 여행 중 현지 여행가이드의 설명에 따르면 두바이는 자국민 200만과 외국인 800만이 공존하는 나라인데 외국인 노동자들은 차별정책으로 급여가 적어 주거비 절약을 위해 투룸 아파트에 2층 침대를 가득 채워 60여 명이 함께 살고 있다고 한다. 여행에서 돌아오는 UAE 비행기에서 UAE 시민인 여성 승무원에게 급여를 물어보니 정부지원금을 합치면 월 1,000만원 정도 된다고 한다. 국가가 부유하니 국민들에게 정말 다양한 복지를 제공하고 있는 만큼, 외국인 노동자들에게도 어느 정도 대우를 해주는 멋진 UAE가 되길 기대해 본다.

불편한 개인택시

타이완
반도체 매니저

분당에서 처음으로 인천공항 1터미널까지 가는 승객이 탔다. 타이완 출신 50세 전후 여성인데 야탑역 근처 반도체 관련 한국 업체에 업무출장 왔다가 귀국하는 길이란다. 한국에는 20년 전부터 오기 시작해서 100여 차례 이상 업무출장을 왔었는데 택시기사와 대화를 하며 공항까지 가는 건 처음이라며 좋아한다. 타이완 반도체 업체인 TSMC가 요즘 잘나가는데 그쪽과도 업무를 하느냐고 물어보니, 당연히 한다고 하며 삼성전자에 비해 TSMC가 모든 면에서 더 큰 회사가 되었다며 삼성이 좀 더 분발해야 할 것이라고 얘기한다. 업무출장 외에 가족들과 한국에 휴가 와서 서울과 군산 앞 바다를 구경한 적이 있다고 하며, 다음에는 제주도와 부산을 여행할 계획이라고 한다.

아들이 삼성전자 반도체에서 근무하고 있다고 하니 내 얼굴을 자꾸 보면서 그렇게 안 보인다고 하며 본인보다 젊어 보이는데 믿지 못하겠다고 하기에, 아들 나이를 얘기해 주었더니 깜짝 놀란다. 본인은 결혼은 했지만 딩크족이라고 하며 엔지니어가 아닌 매니저로 반도체 기업에 근무하며 기업 간 업무조정으로 해외 출장이 잦다고 한다. 일본도 도쿄와 오사카를 수없이 다녀왔는데 일본에 비해 한국의 발전이 비교가 안 될 정도로 빠르고 크다고 한다. 인천대교를 지나면서 인천대교를 볼 때마다 너무 아름답다고 하며, 20년 전 한국에 처음 왔을 때 인천 근처에는 높은 빌딩이 거의 없었는데 지금은 너무 많아졌다고 하며 한국의 발전 속도가 놀랍다고 한다. 그 밖에도 타이완 젊은이들의 결혼관도, 얘기를 들어보니 집 값 비싸고 결혼을 꺼리는 것도 우리나라와 아주 비슷한 것 같았다. 공항에 도착하니 고맙다며 많은 팁을 제공하며 다음에 한국 오면 공항까지 꼭 내 차를 타야겠다고 하며 명함을 달라고 한다.

다음날 저녁 분당에서 수원 광교에 있는 M호텔까지 40대 타이완 출장자 3명이 택시에 탔다. 3명의 타이완 출장자들도 반도체 관련 업무를 위해 한국에 왔는데, 삼성전자 반도체가 정말 긴장하고 분발해야 한다며 여러 가지 얘기를 해준다. 광교 근처 M

호텔에 도착하니 택시비를 계산하고 두 사람이 내리는데 한 사람은 안 내리며 본인 호텔은 수원역 근처인데 그곳까지 태워달라고 한다. 도로교통법상 여기서 분당으로는 태워줄 수 있지만 수원역으로 가는 것은 법으로 허락이 안 되니 수원택시를 콜 해서 타고 가라고 하니 이해한다며 고맙다고 인사하며 하차한다.

베트남
엔지니어

　　　　　　　서현에서 판교까지 승객이 마스크를 착용하고 승차했다. 출발과 동시에 목적지를 재확인 하는데 답을 못해서 영어로 물어보니 베트남에서 출장 왔는데 감기에 걸린 듯 기침이 좀 있다고 한다. 목 캔디를 제공하며 조금 나아질 거라고 하니, 고마워하면서 캔디를 먹는다.

　축구 좋아하냐고 물으니 좋아한다고 해서 전 베트남 국가대표 감독이었단 박항서를 아는지 물어보니, 베트남 사람치고 박항서를 모르는 사람은 없을 것이라고 한다. 박항서가 감독으로 있을 때는 베트남 축구가 최고였는데 트루시에 감독이 한마디로 다 말아 먹었다고 하며 박항서 전 감독이 다시 베트남 감독직을 맡아줄 것인지 내게 물어와, 절대 그런 일은 없을 거라고 하니 왜 그렇게 생각하느냐고 다시 묻는다. 박항서가 베트남 국가대표 감독이었을 때 베트남 축구협회가 그 사람의 자존심에 깊은 상처를 주었기 때문이라고 하니 고개를 끄덕인다.

베트남 북부지방에서 왔다고 해서 10월에 친구들과 베트남 사파에 5일간 여행계획이 있는데 볼 만한 것이 있는지 물으니, 예전에 프랑스 지배를 받을 때 프랑스 사람들의 휴양지로 각광받던 곳이라 프랑스풍 건물과 산, 계곡이 볼만하지만 5일은 너무 길고 2일만 사파에서 보내고 나머지는 하롱베이 여행을 추천한다.

한국에는 처음 출장 왔는데 1주일 되었다고 하며 LG LCD 협력회사에 업무출장을 와서 자동화 관련 업무를 함께하고 있다고 한다. 감기로 기침이 계속 있어 한국 회사 동료들에게 기침감기약을 사달라고 하면 구해 줄 것이니 꼭 감기약을 복용하라고 하는 사이 목적지에 도착했다. 택시 요금이 7,600원이었는데 오천원 한 장, 500원 100원 동전 하나씩 그리고 10,000원 지폐 두 장을 내밀고 하차하려고 한다. 깜짝 놀라 2만원을 돌려주고 1,000원짜리 두 장을 받으며, 만원 지폐와 천원 지폐 차이를 설명해 주니 고맙다며 인사하고 내린다. 우리나라에 대해 정직한 인상을 보태준 것 같아 보람이 있었다.

사우디아라비아
IT 전문가

수요일 아침 택시를 콜 지점에 도착하니 승객이 안 보여 전화를 하자 외국인이 알아들을 수 없는 얘기를 하여 콜을 취소하려는 순간 영어로 메시지가 왔다. 1분후 도착하니 기다려 달라고…. 잠시 뒤 판교에 있는 기업연구소까지 외국인 남성이 승차했다. 사우디아라비아 IT분야 엔지니어인데 한국에 파견되어 2년째 근무 중이며 금주를 마지막으로 귀국해야 한다고 한다. 귀국하면 가족, 친구들도 만날 텐데 좋겠다고 하니, 본인은 한국생활이 훨씬 재미있다고 한다. 한국의 도시, 기후, 음악, 음식, 자연환경 등 모든 것이 마음에 드는데 사우디로 귀국할 생각하니 답답하다고 한다. 그렇다면 한국기업의 파트너에게 한국에 더 근무할 수 있도록 요청해 보라고 했더니 사우디

본사에 복귀할 생각만 했지 그 생각을 못했다며, 오늘 당장 요청해야겠다고 한다.

　사우디의 현재 정치시스템이 국왕정치인데 좋아하냐고 하니 사우디에선 선택의 여지가 없고 왕정시스템이 싫으면 사우디에 살 수 없다고 한다. 현 왕세자인 빈 살만이 35세로 젊어 여성들에게 자가용 운전, 회사에서 남녀가 함께 일하는 것, 여성들도 축구나 콘서트를 관람할 수 있게 허락하였고, 35년 만에 영화관을 개장하였다며, 두바이와 같은 관광대국을 만들기 위해 비전 2030이라는 정책을 만들어 네옴시티를 건설하여 그 안에 로봇, AI, 생명공학 등 첨단기술과 복지시설을 갖춘 스마트 도시도 만든다는데 크게 기대하고 있다고 한다. 그래도 국민이 투표로 선택한 지도자가 아닌데 아쉽지 않느냐고 하니, 왕인 아버지가 독단적으로 왕세자를 선택했지만 사우디에 많은 혁신을 추진하고 있어 믿음이 간다고 한다. 모쪼록 빈 살만 왕세자가 사우디 젊은이들이 원하는 변화와 혁신을 강력하게 밀고 나가기를 기대한다.

한국문화 전공
인도학생

서판교 한국중앙연구원에서 정자동까지 콜을 받아 도착하니 인도 여학생이 승차했다. 한국에 온 지 2년 반이 되었고 중앙연구원에서 한국문화를 전공하고 있다고 한다. 정자동 인도카레식당에 알바하러 가는 길이며 인도 남동쪽 태평양에 접해있는 첸나이 출신이라고 한다. 첸나이는 인도 현대자동차와 삼성전자 공장이 있어 한국인이 가장 많이 사는 도시이고, 예수님의 열두제자 중 하나인 Thomas(도마)가 예루살렘 사도회의의 결정으로 인도로 선교를 떠나 목수로 활동하다가 왕이 준 왕국 건축기금을 모두 불쌍한 이들에게 나눠준 뒤, 하늘 나라에 왕국이 세워져 있다고 선포하여 감옥에 갔다 온 역사가 있다고 한다. 그 후 인도인들에게 세례를 주고 그리스도교로 개종

시키다가 힌두교 사제들에 의해 창에 찔려 순교하고 첸나이에 묻혔으며 그 장소에 성토마스성당이 세워졌다고 한다. 본인도 가톨릭을 믿는데 현재 인도 인구의 3%가 가톨릭 신자이고 첸나이의 기독교 역사는 유럽의 기독교 역사보다 많이 앞섰다고 한다.

가톨릭 신자로 강남 성당에 두세 번 갔다가 한국어 설교라 안 가고 있다고 하며 학교에서 가까운 서판교에 성김대건안드레아 성당이 있는데 그곳에 가끔 기도하러 간다고 한다. 인도인들은 기본적으로 요가를 하는데, 원래 요가는 브라만교 교리 중 하나로 시작되었는데 요가 동작 중 일부는 브라만교의 신을 숭배하는 자세이고 일부는 남녀 간의 성행위를 묘사하는 동작이라 가톨릭 신자인 본인은 일체 하지 않고 있다고 한다. 매일 아침마다 요가를 해왔는데 그런 얘기는 처음 들었고 그 말이 사실이라도 본인이 가톨릭 신자이면 요가를 하면서 하나님을 생각하면 되지 않느냐고 하니, 굳이 그렇게 하고 싶지도 않다고 한다. 한국생활 중 가장 마음에 드는 것은 밤에도 여성 혼자 다닐 수 있는 치안이라고 하고, 세계에서 가장 안전한 나라로 생각한다며 졸업 후 한국취업이 가능하면 한국에서 살고 싶다고 한다.

내가 2020년 2월 코로나가 세계적으로 번지기 시작할 때 인도 뉴델리, 자이푸르, 바라나시 카주
라호, 타지마할이 있는 아그라 여행
을 다녀온 이야기를 하면서 그 당시
인도는 코로나 감염자가 한명도 없
었는데, 인도인들이 모두 카레 덕분
에 코로나 바이러스가 못 들어온다
고 했는데 그 이후엔 코로나로 많은
감염자와 희생자가 있었다고 하니,
웃으며 사스가 유행했을 때 한국의
김치효능 맹신과 유사한 경우라고
한다. 타지마할 방문 하루전날 당시
미국 대통령인 트럼프가 다녀갔는데 덕분에 역사상 가장 청결
한 타지마할을 보고 왔다고 하니 동의한다며 일반적으로 외국
대통령들이 방문한다고 하면 대청소를 하는데 트럼프의 경우는
타지마할뿐만 아니라 아그라 도시전체를 청소했다고 한다.

예수님의 제자 중 성 토마스를 성경에서 찾아보니 세 번의 사
건을 통해서 나온다. 첫 번째는 마르다와 마리아의 오빠인 라자
로가 죽음에서 부활할 때 예수님과 함께 있었고, 두 번째는 최후
의 만찬 자리에서 예수님께 주님께서 어디로 가는지 알지 못하

는데 어떻게 그 길을 알 수 있겠느냐는 질문을, 세 번째는 가장 잘 알려진 사건으로 부활하신 예수님을 만났을 때 의심 많은 인간적인 모습으로 예수님의 옆구리에 손을 넣어보고 확인하는 과정을 보여준 제자였다.

불편한 개인택시

뉴욕
섬유 디자이너

정자동에서 서울 종로구 원서동 비원 근처까지 여성 승객이 탑승했다. 분당의 언니 집에 와서 이틀 머무르고 서울에 사는 오빠를 만나러 가는 길이라고 한다. 서울대 미대를 졸업하고 바로 미국 뉴욕에 있는 섬유기업의 디자이너로 스카웃되어 1964년에 미국으로 이민 가서 직장생활을 하다가 재미교포를 만나 결혼하고 현재 83세이고 연년생인 84세인 언니, 85세인 오빠를 만나러 한국에 왔다고 하신다. 밑으로는 81세인 남동생이 있는데 삼성전자 사장 자리까지 올랐었고, 4남매가 모두 서울대를 졸업하였고 나름 다 성공해서 잘살고 있는데 오빠가 아파 병원에 입원해 있다고 해서 마지막으로 볼 겸 한국에 왔는데 미국 출발 당일에 오빠가 퇴원한다고 해서 좀 더 가벼운 마음으로 왔다고 하신다.

　미국 생활에 대해서는 본인은 처음부터 좋은 직장에 스카웃되어 좋은 조건으로 근무하였고 나이에 따른 정년은 없지만, 디자이너 세계에서는 60세 전후에 대부분 그만두는 분위기라 본인도 62세에 부사장직에서 스스로 물러났고 회사연금과 국가연금으로 풍족하게 지낸다고 하신다. 예전에는 미국인들이 한국인들을 존중해주는 분위기였는데, 한때 히스패닉과 동일하게 보다가 최근에 다시 K Pop, K Culture, K Food 덕분에 위상이 많이 좋아졌다고 하신다. 나이 80이 되던 해부터 매년 한국에 왔다가 가며 이제 마지막이라고 조카들까지 다 작별인사를 해왔는데 4년째 재방문하고 있다며 웃으신다.

　그래도 몸이 건강하니 15시간 가까이 비행기를 타고 오시는 것이 얼마나 다행이냐고 답을 하니 수긍하시면서 미국 대통령 선거이야기, 미국교회가 사라지는 이야기, 마약중독 현실 등 다양한 주제로 이야기를 하신다. 목적지에 도착하니 비원 담벼락에서 길 건너에 있는 단독주택인데 개발제한구역으로 묶여 동네도 거의 변하지 않았고 예전 부모님 살던 집을 리모델링해서 오빠가 살고 있다고 하신다. 4남매를 모두 서울대로 보낸 그들의 부모님도 4남매도 모두 대단한 것 같다.

며칠 후 전화를 주셔서 다시 원서동까지 모시고 가는데 본인은 남편과 사별 후 치매예방을 위해 매일 1시간씩 반도체 관련 미국 주식을 분석하고 있고, 딸과 함께 엔비디아 주식을 장당 100달러에 구입하여 현재까지 보유하고 있는데 12배 가까이 이익을 보고 있다고 하신다. 본인보다 딸이 훨씬 많이 보유하고 있는데 부자가 된 딸이 오만해질까 염려된다고 하신다. 2주간의 한국방문을 마치고 4일후 미국으로 가신다고 하여, 집에 돌아가시면 매일 운동 열심히 하시고 필요한 영양제는 꼭 챙겨 드시라고 하니 좋은 정보 많이 얻어간다며 고맙다고 인사하신다. 내년에도 건강한 모습으로 또 뵐 수 있기를 기대하며 즐거운 운행을 마쳤다.

중고차 수출
우즈베키스탄 형제

분당 율동공원에서 광주 능평리 현대글로비스 분당자동차 경매장까지 우즈베키스탄 형제가 승차했다. 자동차 경매장에서 중고 자동차를 경매로 낙찰 받아 간단한 수리 후 우즈벡으로 매월 평균 20대를 수출하고 있다고 한다. 17년전 한국에 처음 노동자로 취업 왔다가 한국여자와 결혼하고 현재 14살 중학생 아들과 11살 초등학생 딸을 두고 있다고 한다.

결혼 후 아이들이 태어나면서 급여만으로는 생활이 너무 빠듯하여 중고차 수출사업을 시작했는데 모든 사업이 그렇듯이 처음에는 힘들었지만 지금은 대당 100~150만원 정도 이익을 보고 수출하고 있다고 하는데 계산해보니 매월 2,000~3,000만원 정도 수입이 되니 형제가 반반씩 나누어도 인당 1,000~1,500만원이 되니 괜찮은 사업 같다.

러시아에 여행 갔을 때 한국 광고판과 버스노선들을 있는 그대로 달고 다니는 중고 버스들을 많이 봤는데 승용차만 수출할 게 아니라 버스도 수출하면 수익이 훨씬 좋아지지 않겠냐고 하니 이미 동료들 중에 버스와 중장비를 전문으로 수출하는 팀이 있다고 한다.

한때 한국에서는 우즈베키스탄에는 미인이 많아 밭에서 일하고 있는 아가씨도 송혜교 정도는 기본이라는 소문이 났었고, 미녀들의 수다 TV프로그램에서도 구잘이라는 우즈벡 미인이 있었는데 정말 그 정도로 미인이 많이 있냐고 하니, 하하 웃으며 우즈벡에 정말 그 정도로 미녀가 많으면 본인이 한국여자와 결혼했겠느냐며, 미인의 기준은 나라마다 사람마다 다 다른데 본인은 한국여자들이 훨씬 예쁘게 보인다고 한다. 음식의 맛과 같이 미인의 기준도 각자의 취향에 따라 다르다는 것이 현실임을 일깨워주는 운행이었다.

튀니지
바이오 연구원

성남에서 판교까지 여성승객이 탔다. 얼핏 봐도 얼굴색이 외국인인데 한국어를 잘한다. 한국에서 얼마나 살았는지 물어보니 9년째 살고 있다며 수원에 있는 아주대에서 생물공학 박사학위를 받고 현재 파스퇴르연구소에서 근무 중 이라고 한다. 아직 한국어 보다는 영어가 편하다고 하며 이것저것 물어보며 대화를 시작하였다.

한국의 요즘 30대들 결혼에 대한 설문조사 결과를 알려주니 깜짝 놀라며 본인도 30대인데 결혼을 해야 할지 고민 중 이라고 한다. 결혼할 남자 친구는 있느냐고 하니 프랑스인 남자친구가 있는데 한국에서 근무하다가 캐나다에 직업을 구해 한 달 전 캐

불편한 개인택시

나다로 갔다고 한다. 본인은 한국에서 연구 활동을 하는 것이 마음에 드는데 남자친구와 결혼도 생각하고 있다고 한다.

캐나다에는 산업이 적어 유사한 연구소가 있는지도 모르겠고, 직장 그만두고 결혼하자니 오랜 세월동안 공부한 것이 너무 아깝다고 한다. 실전 연구경험도 박사학위도 있으니 남자 친구가 있는 캐나다 도시에 있는 대학에 교수자리 지원해 보라고 하니, 가르치는 것보다 연구하는 것을 더 좋아해 고민 중 이라고 한다. 연구 과제를 잘 찾아내면 관련 한국, 캐나다, 미국기업 등에서 연구비 지원을 받을 수 있고 가르치는 일과 연구를 병행할 수도 있으니 한번 도전해 보라고 하니, 고마워하며 캐나다 대학에 교수 지원서를 보내보겠다고 한다.

모쪼록 본인이 원하는 대학에 교수자리를 잡고 남자친구와 행복한 결혼하기를 기원해 본다.

이스라엘
출장자

　　　　　　　　　　판교 메리어트호텔에서 두 사람의 40
대 이스라엘 여성이 승차했다. 호텔근무자가 목적지 주소가 적
힌 쪽지를 전달해주며 일단 택시를 호텔 밖으로 빼달라고 해서,
차량을 이동시켜 받은 주소를 입력하니 목적지가 서울, 경기 화
성, 제주도 3곳에서 동일 명칭이 뜬다. 상식적으로 제주는 아니
니 배제하고 승객에게 서울로 가는지, 경기도 화성으로 가는지
물으니 출발 전 목적지를 확실히 해야 한다며 핸드폰 문자메시
지 주소를 보여준다. 핸드폰 주소지는 기흥으로 전달받은 주소
지 쪽지와는 전혀 관계가 없어서 다시 한 번 승객에게 설명하니
일단 본인들이 제공한 주소지로 가자고 한다. 호텔에서 콜을 두
대 하였는데 가는 도중 쪽지를 가만히 보니 양쪽 외국인의 목적

지가 바뀐 것으로 추정되어 다른 택시에 탄 승객이 출발 전 목적지를 확인하지 않았다면 기흥에서 모두 만날 것 같아 황당하였지만, 택시 운행 중 확인하고 조치할 방법이 없어 그냥 목적지까지 운행했다.

이스라엘의 모든 여성들은 의무적으로 군에서 2년 복무를 해야 해서 본인들도 군 복무를 마치고 군용 반도체 수입업무로 2주간 한국에 출장 왔다고 한다. 요즘 하마스와 이스라엘이 전쟁 중인데 어떻게 생각하느냐고 하니, 하마스가 처음 이스라엘의 음악축제장에 침입하여 많은 이스라엘 사람들을 사살하고 인질로 잡아갔으니 당연히 벌을 받아야 한다고 하면서도 현재까지 양측에서 너무 많은 민간인들이 희생당하고 있어 안타깝다며, 하마스가 인질전원을 석방하는 조건으로 휴전협상이 이루어지고 있으니 두고 볼 일이라고 한다. 목적지에 도착하니 덕분에 엉뚱한 곳으로 안가고 제대로 왔다며 고마워해서, 출발부터 목적지를 폰 메모로 재확인해주어 다행이었다는 인사를 하고 즐겁게 돌아왔다.

인도인
쉐프

정자에서 판교까지 40대 인도인이 승차해서 백현동 카페거리에 있는 "봄베이브로"이라는 인도 음식점에서 요리사로 일하고 있다고 한다. 한국에는 2014년에 왔는데 아내와 두 아들은 뉴델리에 살고 있고 1년에 한번 휴가기간 동안 집에 다녀온다고 한다. 가족들을 한국에 데리고 오고 싶어도 본인의 급여와 한국생활비 아이들 교육비를 생각하면 엄두가 안 난다고 한다.

우리도 국가가 가난했던 시절에 독일에 광부와 간호사로 중동에 건설노동자로 수많은 젊은이들이 해외에서 고생했었고 덕분에 현재의 한국이 잘사는 나라가 되었는데, 요즘 중국에 대한

불편한 개인택시

무역제재로 세계적인 기업들이 인도로 공장을 옮기고 있어 빠른 기간 내에 취업환경이 좋아지고 국가도 좀 더 잘사는 나라가 되면, 당신의 아이들은 돈을 벌기위해 당신과 같이 가족과 떨어져 살아야 하는 경우가 없어질 거라고 하니, 양손의 엄지를 들어 보이며 고마워한다. 나중에 식당에 들러주면 특식을 서비스로 제공하겠다며 활짝 웃는다.

홍콩
교수들

　　　　　서현동 새마을연수원에서 콜을 받아
도착하니 홍콩인 여교수 3명과 한국인이 승차해서 한국인은 모
란역에 내려주고 홍콩인들은 서대문 신라스테이 호텔까지 태워
달라고 한다. 한국인을 내려주고 서대문으로 가는 중 교수들이
저녁식사와 쇼핑, 야간시장을 구경할 수 있는 장소를 추천해 달
라고 해서 서울역에서 식사와 롯데마트 쇼핑, 남대문시장, 명동
이 가까이 있다고 하니 그쪽으로 가 달라고 한다. 그중 한사람이
본인은 디트로이트에서 가까운 미시간주 앤아버 대학에서 사회
학을 전공했다고 해서, 나는 이스트 랜싱에 있는 미시간주립대
대학원에서 제품 포장학을 공부했다고 하니 커다란 우연이라며
반가워한다.

새마을연수원에서 실시하는 한국문화관련 연수를 받으러 7일간 한국에 왔는데 지난밤에는 케이블카를 이용해 남산타워에 갔었다고 하며, 오늘은 덕분에 남대문시장과 명동일대를 볼 수 있게 되었다며 즐거워한다.

한국에 와서 택시를 콜 하려면 앱을 다운받아야 하는데 해킹 관련 염려가 되고, 다른 외국에 갈 때도 택시 앱을 다운 받는 것이 불안하다고 하며, 세계적으로 공통 택시 앱 플랫폼이 있고 각 국별 택시 앱들이 자동으로 연계되었으면 좋겠다고 하는데 상당히 일리가 있어 보였다. 각국별 택시 앱과 세계공용 앱간의 상호연결, 이익배분 등 여러 가지 문제가 있을 수 있지만 누군가 한번 도전해 볼만한 가치가 있는 것 같다.

네덜란드
출장자

　　　　　　판교에서 경기도 화성에 있는 세계
적인 반도체장비업체인 ASLM 코리아까지 55세 네덜란드 남자
승객이 탑승했다. 두 달에 한번씩 2~3일 일정으로 한국에 출장
오는데 ASML 한국사무실과 삼성전자, SK 하이닉스 고객사 방문
상담이 주요업무라고 한다. 2~3일 일정으로 한국에 출장 오면
시차 때문에 힘들지 않느냐고 하니 업무강도가 높긴 하지만 가
족들을 위해 열심히 달리고 있다고 한다.

　네덜란드에서 딸 셋을 키우고 있는데 결혼이 늦어 큰딸이 이
제 18세라고 하며 아이들 대학 졸업까지는 직장생활을 해야만
하는 입장이라고 해서, 삼성 반도체에서 근무하는 큰 아들이 36

세인데 아직 결혼생각이 없다고 하니 본인 경험상 남자는 좀 더 나이가 들어도 문제가 없는데 아이를 가지려면 여성의 나이는 꼭 고려를 해야 한다고 하며 내가 본인보다 젊어 보이는데 결혼을 20대 초반에 했느냐고 하며 내 나이를 물어보곤 놀라는 눈치다. 한국에 와서 처음으로 영어로 대화가 되는 기사를 만나 너무 좋았다며, 두 달 후 한국에 오면 연락을 주겠다고 명함을 달라고 한다. 또 한 사람의 외국인 단골이 생긴 보람 있는 운행이었다.

한국 ASML에는 고객사에 제공된 반도체 장비운영 트레이닝 센터와 물류, 유지보수를 담당하는 직원들이 2,000여 명 있는데 최근 삼성전자와 합의 하에 경기도 화성에 첨단장비 개발 연구소를 설립한다고 한다. 삼성전자 협력사중 반도체장비의 첨단을 걷고 있는 ASML과 삼성전자와 협업 연구를 통해, 새로운 차원의 반도체장비가 개발되기를 기대해본다.

피를 나눈
형제

터키(튀르키예) 교민으로 여행가이
드 일을 하는 50대 남자승객이, 축구 이야기를 시작하며, 터키에
서는 교과과정에 한국을 피를 나눈 형제라고 가르치고 있는데,
우리는 그런 내용이 없다며 아쉬워한다.

터키국민들은 영국인들만큼이나 축구에 관심이 많은데, 오랫
동안 유럽의 축구변방으로 취급되며, 번번이 유럽축구에서 편파
판정의 희생양이 되어왔다고 한다. 2002년 한일월드컵 당시, 32
강에서 브라질과 터키가 시합을 하는데, 한국인 주심이 선정되
어 터키사람들이 이제야 공정한 심판판정을 보게 될 것이라고
기대했었는데, 터키가 1:0으로 이기고 있는 상황에서, 브라질의

불편한 개인택시

공격수를 터키수비수가 페널티라인 밖에서 반칙을 하였는데, 브라질 선수가 헐리웃 액션으로 페널티라인 안에서 넘어지자, 비디오 판독을 했음에도, 한국인 심판이 PK 선언을 하여 1:1이 되었고, 그 후 브라질이 한골을 더 넣어 2:1로 터키가 패하였다고 한다. 그러자 터키 신문에서 "형제의 나라가 터키의 목에 비수를 꽂았다"고 대서특필하여 한국인 교포들이 한동안 집 밖을 나가지 못하는 상황이 있었다고 한다.

당시 한국인 심판은 그 오심을 이유로 그 다음부터 월드컵 심판에서 배제되었지만, 한국에서 터키로 K1 자주포 초기모델 수출을 추진하고 있던 중, 터키 국민들의 한국에 대한 이미지가 급속도로 나빠져서 수출이 무산될 분위기였는데, 4강에서 브라질과 터키가 다시 시합을 하게 되었고, 뚜렷한 실력차이로 다시 터키가 패하였다고 한다. 월드컵 3, 4위전에서 독일에게 패한 한국과 터키가 시합을 하게 되었는데, 당시 한국정부와 붉은악마 응원단이 합작하여, 시합 직전 터키 국가가 연주될 때, 터키 국민들이 과거에 한 번도 보지 못한 초대형 터키 국기가 응원석 밑에서 상부까지 쫙 펼쳐지는 장면을 TV로 보고, 이어지는 한국 애국가 연주에서 터키 국기보다 작은 태극기가 응원석에서 올라가는 것을 보며, 모든 터키 국민들이 큰 감동을 받았다고 한다. 그 결과

한국에 대한 터키 국민들의 원망은 눈 녹듯이 사라지고 K1 자주포도 문제없이 수출이 되었다고 한다. 지금도 터키에서는 한국인들에게 형제라는 일반 단어보다 피를 나눈 형제라는 특별한 단어를 사용하고 있고, 많은 카페들이 한국인에게만 25% DC를 적용하고 있다는데, 당시 우리 정부와 붉은악마 응원단이 현명하게 대단한 일을 한 것 같아 가슴이 뿌듯해졌다.

불편한 개인택시

미국인
며느리

분당에서 충무로까지 탑승한 70대 미국교포 부부가, LA에서 치과 치료를 위해 임시 귀국했다며, 미국인 며느리에 대해 이야기를 한다. 자식은 딸과 아들 남매를 두었고, 딸이 한국계 미국인과 결혼해서 잘 살고 있어, 아들에게도 가능하면 한국계 미국여성과 결혼하면 좋겠다고 했는데, 아들이 계속 금발의 미국인 여자친구를 데려와 결혼하겠다고 해서 처음에는 반대했지만, 결국 결혼을 시킬 수밖에 없는 상황이 만들어져, 어쩔 수 없이 결혼을 시켰다고 한다.

미국인 며느리가 처음에는 마음에 들지 않았지만, 아들과 며느리가 직장을 다니는데 매월 월세만 4,000달러가 지출되는 것을 알고, 본인의 2층 주택을 팔고 3층 주택으로 옮긴 후, 아들에게 본인 집 3층으로 들어와 월세 없이 살라고 하니, 미국인 며느리가 이해하기 어렵지만 감사하다며 이사를 들어 왔다고 한다. 그 후 아들부부에게 손주가 태어나, 시어머니가 직장생활 하면서 아이를 키우는 것이 안쓰러워, 집안 청소와 손주 돌봄에 도움을 주려고 하니 며느리가 "No Thank you"라며 거절하고, 스스로 정말 열심히 살아간다고 한다. 나중에 며느리가 대학교육비로 금융권에서 융자받은 대출금을 매월 갚아 나가는 것을 알고, 본인들이 일시불로 갚아주려고 하자, 며느리가 스스로 갚아 나가겠다며 말렸다고 한다.

한국계 며느리를 봤으면 대부분 당연히 받아들이는 도움을 거절하는 것이 처음에는 어색했지만, 한편으로는 독립심이 강한 것이 큰 장점인 것 같아 지금은 주변에 며느리 칭찬을 많이 하고 다닌다고 한다.

세계 어느 나라든 인종보다 개인의 성품이 훨씬 중요하다는 것은 보편적 진리인 것 같다.

젊은이들의
고민

젊은이들의
결혼관

판교로 출근하는 20, 30대 젊은이들에게 왜 결혼을 안 하려고 하는지 여러 차례 물어보았다. 젊은 남자들은 신혼집을 준비하는 것이 너무 힘들고 결혼에서 주어지는 책임감이 싫다고 하는 반면, 젊은 여성들은 직장생활로 경제적, 시간적으로 자유가 있는데 굳이 젊어서 사서 고생할 필요가 있냐고 하며 남자친구는 좋은데 남편은 싫다고 한다. 남녀 젊은이들 모두 공통으로 주변에 결혼한 친구들을 둘러보아도 너무 여유도, 자유도 없는 것이 보이니 결혼이 더욱 꺼려지게 된다고 한다.

지구 전체로 보면 80억이 넘는 인구과잉 문제로 환경파괴, 많은 차량운행에 따른 공기오염, 인간을 먹이기 위한 다량의 동물 사육, 기아발생 등 다양한 문제들이 발생하고 있어 전반적인 인구감소는 필요하다고 보지만, 최근 우리나라는 신생아 출산율이 0.62명에 가까워지며 국가소멸을 걱정할 정도라고 한다.

언론에 따르면 30대 초반 젊은이들을 상대로 설문조사 결과 결혼을 원하는 남성은 28%, 여성은 12%라고 한다. 우리나라의 급격한 인구 감소 문제를 해결하기 위해선, 두바이와 같이 젊은 이들이 결혼하면 우선적으로 저렴한 임대아파트를 제공하고 결혼 축의금과 출산장려금도 각각 1억원 이상 제공하는 시스템을 도입할 필요가 있고 외국 젊은이들 중 일정 수준의 자격이 되는 사람들에게 이민의 문호를 활짝 개방하는 것이 인구감소 문제 해결 방법이 아닌가 하는 생각이 든다.

젊은 직장여성의 사랑

　　　　　　　　수내동에서 수원 성균관대학교까지 급하게 가야 한다는 여성승객이 승차했다. 어제 판교에서 회사동료들과 저녁식사와 더불어 술을 마시고 정신이 없어, 남자친구의 전화와 문자 메시지에 답을 못했더니 남자 친구가 화가 많이 나 있어 퇴근 전 직장에 도착하여 화를 풀어줘야 한다고 한다. 그러지 않으면 남자 친구가 떠날까 봐 큰 걱정을 하고 있다. 남자친구와의 나이 차이는 7년 차이라고 하며, 남친은 대학 졸업 후 1년 정도 직장생활을 하다가 다시 학교로 돌아가 지금은 이공계 박사과정에 있다고 한다. 박사자격 취득 후 대학교수를 할 예정이라고 하는데, 요즘 대학에 교수자리 구하기도 어렵지만 그 자리를 유지하는 것도 예전에 비해 훨씬 어려워졌고, 대학교수들 중 많은 이들이 사회에 나오면 적응 못하는 사람들이니 좀 더 객관적으로 남친을 살펴보라고 조언해 주었다.

그동안 여러 차례 직장 동료들과 술을 마시고 전화에 답신을 안 하였는지는 모르겠지만, 직장 동료들과 술을 마신 후 전화를 못 받을 수도 있을 텐데 본인 말대로 남친이 정말 착하고 좋은 사람이라면 당연히 이해해 주어야 하는데, 라는 위로의 말을 전하며 결혼까지 생각하고 있다면 남친이 본인보다 상대방을 먼저 배려하는지, 욱하는 성격이 있어 함부로 말과 행동을 하는지 잘 살펴보고 둘 중의 하나라도 문제가 있다면 빨리 헤어지는 것이 좋을 거라고 얘기를 하니 첫 번째 조건을 어떻게 알 수 있느냐고 묻는다.

본인 아빠에게 친한 친구의 남자친구라고 하고 남친의 사진을 보여주면, 여자가 여자 사진을 보면 어느 정도 알 수 있듯이 아빠가 남친 사진을 보면 훨씬 더 본인보다 객관적으로 볼 수 있을 거라고. 예를 들면, 운전 직종에 있는 사람들은 사위나 며느리를 사전 평가할 때 자동차를 운전하게 하여, 방향 지시등을 사용하는지 여부를 본다고 얘기를 해 주었다. 방향 지시등은 상대방을 우선 배려해야 사용하는 것이니, 사용하지 않는 사람들은 평가에서 많은 불이익을 준다고 얘기해 주니 여자 승객이 생각에 잠긴다. 모쪼록 본인을 먼저 배려해주는 좋은 남자친구를 만나길 기대해 본다.

행복한 새댁의
고민

　　　　　　　　　분당동에서 판교까지 젊은 여성 승
객이 승차해서 반도체관련 업체에서 일한다고 하며 요즘 반도
체 분야 시장상황이 안 좋아 고민이 크다고 한다. 반도체와 특
수가스 제조업을 하는 다국적기업의 판교지점에서 근무하는
데, 가스 사업은 나름 현상유지를 하고 있지만 최근 대전에 새
로운 가스공장을 준공하였는데 공장가동을 시작하면 이익을
낼 수 있을지에 대한 확신이 없어, 본사에서 아직 가동여부에
대한 결정을 내리지 못하고 있다고 한다. 반도체 사업은 이미
어려워져 서울 삼성동에 있는 사무실로 조만간 합쳐지고 그 다
음에 강북에 있는 사무실로 모두 합쳐질 것 같아 걱정이 되는
데, 삼성동까지는 분당에서 출퇴근하겠지만 강북은 어려울 거

　　　　　　　　　　　　　　불편한 개인택시

라고 한다.

23세에 네덜란드에서 근무하던 3살 터울인 현재의 남편을 소개받아 26세에 결혼하고 1년이 지났는데, 남편 회사가 인천 송도에 있음에도 아내의 출퇴근 시간을 아껴주기 위해 분당에 신혼집을 얻었는데 회사가 강북으로 가면 두 사람 모두 출퇴근이 어려울 거라고 한다. 반도체 엔지니어가 아니고 재무업무를 담당하고 있다면 이번 기회에 남편이 근무하는 인천으로 이직을 생각해보는 것도 방법이라고 하니, 예전에 남편회사에 자리가 있어 이직하려고 했으나 같은 회사에 근무하게 되면 남편의 급여 세부내역까지 본인이 알게 되어 서로 불편함을 초래할 수 있을 것 같아 거절했다고 한다. 일단 당장 회사가 강북으로 가는 것은 아니니 추후 강북으로 간다고 하면 그때 남편회사 근처 다른 회사로 이직을 검토해 보겠다고 한다.

결혼 전 시어머니가 본인을 별로 탐탁찮게 생각했었는데 결혼 후 180도 바뀌어 지금은 너무 사이가 좋다고 한다. 결혼 후 여행을 가든, 외식을 하든 본인이 적극적으로 시부모를 모시니 본인을 많이 예뻐해 주시는데 그 보답으로 시부모가 기다리는 손주를 가질 계획이지만 아이가 들어서질 않는다고 해서, 일단 병원에 가보고 통계적으로 4, 5월 봄에 태어난 아이들이 성격이 밝고 성공한 사례가 많다고, 가능하면 아이가 좋은 계절에 태어날 수 있도록 날짜 계산을 잘하라고 하니 고마워한다.

불편한 개인택시

임신에 대한
염려

판교에서 평촌까지 가는 승객이 택시에 올라 3년 전 결혼했는데 아내가 애를 갖고 싶어 해서 비뇨기과에서 정액검사 결과를 받았는데 과다한 음주로 비정상인 정자가 많다고 하여 걱정이라고 한다. 결혼 3년차인데 결혼 전 서로 건강검진, 정자, 난자 검사결과 모두 건강한 것을 확인하고 결혼했는데 이런저런 사정으로 임신을 미루다가 이제 아이를 갖고자 하는데 걱정이 크다고 한다.

본인 친구 중에는 건강검진 포함. 모든 검사결과가 정상으로 나왔는데 혼인신고 안한 상태에서 2년이 지나도록 아이가 생기지 않아 결국 헤어진 사례도 있다고 한다. 본인 아내는 2년 연상으로 나이가 38세인데 임신이 늦어지면서 불안해한다며 금주를 하도록 많은 잔소리를 하고 있어 힘들다고 하고, 여성이 39세부터는 기형아를 낳을 확률이 기하급수적으로 늘어난다고 하며 기다란 한 숨을 쉰다.

수억 마리의 정자중에서도 가장 힘 있는 놈들이 난자와 결합하는데 비정상적인 정자가 정상적인 정자를 이길 확률이 얼마나 되는지 담당의사에게 물어보라고 하면서, 한편으로 너무 발달된 각종 검사방법들이 또 다른 근심거리를 만들고 있는 건 아닌가 하는 생각도 들었다. 의학의 발달은 좋지만 검사결과에 따른 확실한 처방법도 함께 나왔으면 좋겠다.

40세 결혼 남

저녁 8시 20분경 오리역 근처에서 오
포 신현동까지 70대 여성이 택시에 승차했다. 본인은 아들 하나,
딸 하나 있는데 아들이 나이 40에 인연을 만나 결혼하였고 며느
리가 아이를 갖고 싶어 해서 몇 년간의 시험관 아기 노력 끝에 아
이가 태어나 손자 봐주고 집으로 돌아가는 길이란다. 아들과 며
느리 둘 다 직장생활을 하고 있어 손자를 봐주기 위해 나오면, 오
포 고개부터 항상 출근차량 정체가 심해 주중 5일은 아침 6시에
집에서 나와 아들 집으로 택시로 가고 오후에는 8시경 집으로 돌
아간다고 하신다. 손자가 이제 1년 4개월이고 아들은 48세인데
아들 부부가 직장에 있는 동안 아이를 봐줄 수밖에 없지만 본인
나이 70이 넘어 보람은 있지만 몸이 힘들다고 하신다. 아들부부
도와주는데 택시 요금을 직접결제로 하셔서, 택시 요금은 아들

이 지불하도록 자동결제로 하라고 설명드리니 자식 부담 준다고 본인이 계속 지불하신단다.

아이 돌보는 보모를 구하려고 알아보니 아들부부 중 한 사람 급여보다 비싸서 본인이 대신 봐준다고 하신다. 아들 밑에 여동생은 일찍 시집을 가서 큰 아이가 중학교 3학년인데, 48세인 아들은 이제 자식이 1년 4개월이라며 답답해하신다. 최근 며느리가 아이 하나만 키우면 아들이 외롭다고 둘째를 가지고 싶어 한다고 해서 걱정이라고 하신다. 요즘 시대에 아이를 둘 낳으면 정부에는 좋겠지만 아이 하나 키우는데도 많은 돈이 들어가는데 둘을 어떻게 키울 것이며, 또 둘째는 태어나면 누가 봐 주어야 하는지가 고민이라고 하신다.

본인은 육체적 한계로 더 이상은 힘들다고 하셔서 요즘 대부분 친정 엄마가 손주 돌보아 주는데 사돈에게 둘째 보육을 맡기는 것을 며느리 통해서 물어보시라고 하고, 아들 나이가 48세면 10년 전후로 은퇴인데 둘째는 경제적으로 무리가 아닌지 얘기해 보시라고 했다. 국가적으로 인구가 줄어 문제이긴 하지만, 고공 행진 중인 집값, 아이들 교육비 등을 고려할 때 출산율 증대는 신기루로만 느껴진다.

불편한 개인택시

차멀미하는
승객

밤 9시 20분경 강남구 청담동에서 분당까지 30대 초반 여성승객이 승차했다. 바깥온도가 16도로 제법 서늘한 날씨임에도 뒷좌석에 타자마자 본인 쪽 창문을 완전히 열어놓는다. 회사 일을 바쁘게 하고 몸에 열이 나서 잠시 식히기 위해서 창문을 내렸나 보다 생각하고 가는데 영동대교를 건너 청담대교로 올라갈 때 까지 창문을 그대로 열어놓고 있어, 반팔을 입고 운전하는 나는 추위를 느끼기 시작해서 아직도 더우냐고 승객에게 물으니 본인이 차멀미를 하기 때문에 창문을 열어 놓고 탄다고 한다. 그래서 멀미를 하면 앞으로는 뒷 좌석이 아닌 조수석에 타라고 권하고, 조수석에 타면 자동차의 움직임을 미리 알 수 있어 몸이 차량방향을 예측하고 같이 움직이기 때문에 멀미를 훨씬 줄일 수 있다고 설명하며, 본인이 운전할 때는 멀미를 안 하지 않느냐고 하니 그렇다고 한다. 조수석에 타도 비슷한 원리가 적용되니 앞으로는 무조건 조수석에 타라고 얘기하며 나도 어릴 때 고향인 경북 문경까지 7시간씩 시외버스를 타고 가면 항상 멀미를 했었는데 운동을 하면서 몸이 건강해지니 멀미가 없어진 경험을 얘기하고 운동을 해보라고 권장하니, 본인은 어릴 때 1시간 버스를 타면 7번씩 구토를 했다고 하며 운동은 하고 있지만 아직도 멀미 증세가 일부 남아 있다고 한다.

내 차에서 멀미를 하면 서로 곤란해지는 상황을 피하기 위해 승객의 주의를 다른 곳으로 돌릴 필요가 있다고 느껴, 그때부터 여러 질문으로 주의를 돌렸다. 직장이 집에서 너무 먼 것 같은데 회사 근처 원룸이나 오피스텔로 이사하면 좋지 않느냐고 했더니 고향인 전라도에서 올라와 영국에서 유학하고 송파에서 3년, 분당에서 5년째 살고 있는데 송파는 너무 사람도 많고 교통도 복잡하고, 공기도 안 좋았는데 분당에 살아보니 모든 것이 너무 좋아 분당을 떠나고 싶지 않다고 한다. 요즘 젊은이들의 결혼관에 대해서 얘기하고 본인의 결혼관을 물으니 50대 부모님이 결혼은 무조건 해야 한다고 해서 본인도 그리 생각하고 있는데 당분간은 직장생활에만 충실하고 싶다고 한다.

불편한 개인택시

나도 미국에서 공부했는데 영국에서의 유학생활에 대해 이야기 해 보라고 하니 한참을 신나서 이런저런 이야기를 하면서 본인은 미국에 가본 적이 없는데 미국은 일반인들이 총을 가지고 있어 위험하지 않느냐고 물어본다. 동일한 시각으로 미국인들이 한국을 보면 한국은 언제든 북한이 전쟁을 시작할 수 있는 나라라고 느낄 테고 최근 영화 "범죄도시 4"가 천만관중을 넘었는데 영화와 현실이 비슷한지, 본인도 한국의 전쟁위험이 임박하다고 느끼는지 묻자, 웃으면서 그렇지 않다고 한다. 영어를 잘하니 해외여행 나가면 훨씬 편하지 않느냐고 물으니 그렇다고 하면서, 내게 영국 여행에 대해 여러 가지 설명을 하는 사이에 목적지에 도착하니, 활짝 웃으며 덕분에 멀미를 전혀 느끼지 못했다며 고마워한다.

대학전공
변경

밤새 눈이 내려 온천지가 하얗게 변한 날 아침 동서울대 신입생 오리엔테이션에 가는 젊은 여학생이 탔다. 연세대 경영학을 전공한 아버지가 신용 관련 공기업에 다니고, 이화여대를 졸업한 어머니는 교사로 근무하는데, 부모님이 원해서 이공계 전공으로 4년제 대학을 들어갔으나 그림 그리는 일이 하고 싶어 자퇴하고 전문대학인 동서울대 미대 산업미술과에 입학한단다.

어려서 초, 중학교 다닐 때 교내 그림 그리기 대회가 있으면 항상 상위 5명 안에 들었었는데 본인만 빼고 나머지는 모두 미술학원에 다니던 친구들이었다고 한다. 이공계 대학생활을 할수록 그림 그리는 일이 하고 싶어 남들보다 뒤늦게 미술 전공 대학을 왔지만, 본인이 좋아하는 산업디자인을 시작하니 행복하다고 했다. 본인이 하고 싶고 좋아하는 분야를 해야 오래할 수 있고, 남보다 잘할 수 있다고 얘기하며, 95% 이상의 사람들이 자기가 무엇을 좋아하는지도 모르며 그냥 세월에 묻혀 적당히 전공 선택하고 살아가는데, 본인이 좋아하는 분야를 시작했으니 이미 성공 가능성 90%를 확보했다고 격려해주니 고마워한다. 어릴 때 아빠가 주재원으로 근무하던 미국 LA에서 자라 영어는 잘하고, 수학과 미술을 좋아한다며 대학 졸업 후 LA에서 전문직으로 살고 싶다는 여학생의 꿈을 응원한다.

편의점에서
라이터 구입

저녁 7시 반경 엄마와 아들이 택시에 승차했다. 정자동까지 가는 도중 아이 아빠로부터 전화가 왔다. 아들이 편의점에서 라이터를 구입하는데 직원이 신고해서 파출소로 소환되어 조사받고 나오는 길인데 아들이 알바하는 햄버거 가게로 간다고 대답한다. 아들이 고등학교 2학년인데 편의점에서 술, 담배도 아닌 라이터를 구입하는데 왜 문제가 되는지 이해가 되지 않아 옷에 보푸라기가 생겨 그걸 태우려고 했다고 하면 되지 않느냐고 하니, 현행법상 라이터는 19세 이상 성인만 구입이 가능한데 아들이 타인의 신분증으로 구입하려다가 신고 당했는데 타인 신분증을 이용한 것이 더 큰 문제가 되었다고 한다.

불편한 개인택시

우리 어릴 때는 어른들 심부름으로 술, 담배 다 사다주었는데 세상이 아무리 바뀌어도 고교 2학년 학생이 라이터를 구입 못한다는 것이 이해가 되지 않아, 이건 아무래도 법이 잘못된 것 같으니 헌법소원이라도 해봐야 할 것 같다고 얘기하고, 햄버거 가게에서 신분증을 주고 심부름 시킨 선배 알바선배가 더 문제가 있는 거 같다고 하며, 오늘 오전 정자동에서 위례신도시 고등학교까지 택시를 타고 간 여학생 얘기를 해 주었다.

오전 11시경 교복을 단정하게 입고 고등학교까지 택시를 탄 여고생이 목적지까지 가는 도중 차량 에어컨을 켰음에도 답답하다며 택시 뒷 창문을 활짝 열기에 에어컨을 끄고 나머지 창문들을 열어, 백미러로 학생을 보니 얼굴 화장으로 정신이 없었다. 목적지인 고등학교 정문에 도착하니 20미터만 더 직진하자고 해서 학생을 내려주고 미터기 정리하고 차를 돌려 나오려는데 아까 그 여학생이 오른쪽 앞쪽에서 쪼그리고 앉아 담배를 피우고 있었다. 순간 내려서 뭔가 말을 해야 할까 망설이다가 그냥 돌아왔는데 그 여학생은 담배와 라이터를 어떻게 구입했을 지가 궁금하다고 하면서 그에 비하면 승객의 아들이 훨씬 순수한 것 같다고 해주니, 아들의 엄마가 다소 안도를 하는 것 같았다.

종교관

　　　　　율동에서 서판교 S복음교회까지 엄마와 아들 둘이 승차했다. 집 가까운 정자동에 동일한 교회가 있는데 예전에 집주변에 있던 교회가 서판교로 이사 갔다고 한다. 이런 저런 종교 얘기를 하던 중 성당에 다녀본 경험을 물어와, 가톨릭에 좋은 점이 두 개 있는데 그중 하나가 성직자들이 훨씬 신앙적으로 깨끗한 것 같다고 하며, 인간적으로 보살펴야 할 처자식도 없고 가톨릭 본부로부터 매월 급여를 받는 구조이고 개신교와 달리 어릴 때 목회자로 들어서지 않으면 영원히 자격이 안 되니 그런 부분에서 개신교와 차별화되는 부분이 있다고 설명했다. 사업적으로 구분하면 가톨릭은 지사이고 개신교는 자영업과 같은 거라고. 두 번째는 가톨릭 기도실인 신체조배실이 묵언기도만 허락하고 있어 너무 조용해서 기도에 집중하기 좋은 곳이라는 것. 지금도 가끔 기도하고 싶으면 성당기도실을 이용하고 있다고 했다.

S복음교회는 예배는 물론 기도실에서도 소리 지르고 울고 하는데 특별한 이유가 있냐고 물으니, 구약성경 예레미야 33장 3절에서 너는 내게 부르짖으라고 했다고 한다. 내가 알고 있는 신약성경에는 예수님이 기도는 홀로 골방에 들어가서 조용히 하라고 말씀하신 것으로 알고 있다고 하고, 기도하기 전 이미 하나님이 모든 내용을 알고 계신다고도 쓰여 있다고 하니 대답이 없다.

뒷좌석에 앉아있는 두 아들은 마지못해 따라가는 피곤한 표정으로 뒷 쪽으로 몸을 기대어 있어 내 아들의 종교에 대해서 얘기를 해주었다. 큰 아들을 어릴 때 교회에 보냈더니 어느 날 교회 행사에서 대표로 발표를 한다고 하여 참석했었는데 아들이 여러 사람들 앞에서 교회생활에 대한 글을 읽고 있는데 본인이 작성한 글도 아니고 나중에 물어봐도 의미도 모르기에 그대로 두면 소위 말하는 종교 가스라이팅에 오염될 것 같아 교회를 그만 다니게 하고 나중에 성인이 되면 스스로 종교를 결정하라고 했다고 말하니, 뒷좌석의 두 아이들이 많은 관심을 가진다. 본인의 의지가 아닌 타인의 강요에 의해서 다니는 종교가 과연 마음속으로 들어올까 하는 물음이 생기는 운행이었다.

어린이집에서
매맞는 아이

오포 신현리까지 가는 엄마와 아들이 승차했다. 4살 아들이 엄마에게 친구들이 어린이집에서 저를 수시로 때린다고 얘기하자 엄마가 친구들이 때리면 팔을 잡고 "때리지 마"라고 하라고 하자 그 말을 해도 계속 때린다고 한다. 그럼 선생님에게 얘기하라고 하니 선생님에게 얘기할 때만 가만히 있고 지나면 또 때린다고 하자, 엄마가 때리지 말라고 얘기하고 그래도 때리면 그냥 도망가라고 하는데, 아들은 도망가면 끝까지 따라와 또 때린다며 답답해한다.

듣고 있자니 나도 가슴이 답답하고 조카 아들들이 생각났다. 작년에 조카의 아들 둘이 초등학교에 입학했는데, 한 아이는 짝

불편한 개인택시

꿍이 앞으로 내 말 안 들으면 칼로 찔러 죽인다는 엄포에 1년 가까이 짝꿍에게 꼼작 없이 시달리면서 공부에 집중 못하고 지내다가, 나중에 같은 학원에 다니던 조카의 아들 친구가 학교에서와는 달리 학원에서는 조카의 아들이 공부에 두각을 나타내는 것을 보고, 본인 부모에게 이런 사실을 얘기하게 됐고, 그 부모를 통해서 조카 부부가 뒤늦게 사태파악을 하고, 학교에 강력하게 항의하여 짝꿍을 다른 반으로 보내는 조치를 해서 문제를 해결했다고 한다.

또 다른 조카의 아이는 초등학교 1학년임에도 키가 130cm가 넘고 덩치도 있으나, 아빠가 절대 친구들하고 싸우지 말라고 교육을 시켜 학교에서 친구들에게 맞아도 상대를 안 하고 그때마다 담임선생님에게 얘기했지만 그때뿐이고, 1학기 내내 전혀 해결이 되지 않는 채 보내다가, 2학기가 되기 전 오래 참아 온 조카의 아들이 아빠에게 모든 얘기를 털어놓았고, 조카는 아들에게 너를 때린 친구들은 때려도 된다고 허락을 해주었다. 2학기가 시작되자 조카 아들은 1학기 때 자기를 때린 친구들을 찾아다니며 때려주기 시작했고, 조카 아들에게 여러 차례 얻어맞은 아이들이 부모에게 얘기하고, 부모들이 학교에 연락해서 학교로부터 조카 부부가 호출되었다. 학교를 방문한 조카부부는 교장과 담임 앞에서 1학기 내내 우리 아들이 맞을 때마다 담임에게 얘기했는데 학교는 도대체 무얼 했느냐고 따지며, 1학기 때 우리 아들을 때린 애들이 우리 아들에게 진심으로 사과할 때까지 계속 복수하도록 그대로 두겠다고 하니, 학교에서 먼저 잘못한 아이들이 사과를 하도록 조치하겠다고 했다한다.

내 큰 아이가 미국에서 잠시 자랄 때, 한국인 교회 놀이방에서 애들 2, 3명이 함께 우리 아들을 괴롭히는 것을 보고, 집으로 아들을 데려와 다른 애들이 괴롭히기 시작하면 주먹으로 상대방 코피를 터지게 하는 속성훈련을 시켰던 기억이 새삼스럽게 생각나는 운행이었다.

아이엄마에게 사내아이가 어려서부터 남들에게 맞고 자라면 아이 기가 죽으니, 내 아이 얘기를 해주면서 아들이 스스로 강력하게 대응할 수 있도록 권투를 배우도록 권장했다. 나중에 운동을 통해 힘을 길러 저를 괴롭히는 아이들을 잘 응대할 수 있기를 기대해 본다.

불편한 개인택시

정신질환
딸

서현동에서 삼성동까지 50대 후반 남성이 승차해서 조그마한 중소기업을 운영하며 성공해서 큰딸을 미국으로 유학 보냈는데, 딸이 학교생활에 적응을 못해 정신질환을 얻어 한국에 돌아와 집밖으로 일체 나가지도 않고 본인 마음에 들지 않으면 물건을 던지거나 부수어 버리는데 답이 보이지 않는다고 답답해하며, 밑으로 아들이 하나 있는데 딸 때문에 온가족이 우울증에 걸려있다고 한다. 내가 미국에서 공부할 때도 부모님이 대학교수이고 서울대를 졸업한 아들을 대학원 유학 보냈는데 적응을 못하여 정신질환에 걸리게 되었고, 결국 부모가 한국으로 데리고 갔던 사례가 기억이 났다.

친구중 하나도 비슷한 자녀유학 경험이 있는데 아이를 정신과 치료를 꾸준히 받게 하고 종교행사도 함께하고 아이가 원하는 것을 온가족이 적극적으로 함께 해주면서 조금씩 공감대를 형성해주니, 서서히 대화가 시작되었고 시간이 걸렸지만 이젠 치료가 되어 직장생활을 하고 있다고 하니 본인이 주도해서 그렇게 해 보겠다고 한다. 모쪼록 딸과 조그마한 것들부터 함께 하면서 대화가 시작되어 딸이 완쾌의 길로 들어서길 기대해본다.

불편한 개인택시

아나운서가
꿈

분당에서 강남까지 젊은 여대생이 승차해서 인천에 있는 대학 항공과에 다니는데, 선배들과 대화결과 승무원 직업이 육체적으로 너무 힘들 것 같고 자신이 없어 아나운서로 목표를 바꾼 후 아나운서 학원에 가는 길이라고 한다. KBS 아나운서 출신 최모씨가 대표로 있고 전현무 아나운서도 가끔 특강을 온다고 한다. 아나운서 모집도 분야별로 뽑고 있는데 정치, 사회, 경제 분야 등 여러분야중 본인은 일기예보 담당으로 진로를 선택해서 준비 중에 있다고 한다.

아나운서 취업 전 가능하면 나레이션 알바나 행사 진행알바가 있으면 경험을 쌓기 위해 무조건 하고 있다는데, 인천에 있는

학교 다니면서 강남학원에 다니는 것이 힘들긴 하겠지만 꿈을 이루기 위해 열심히 매진하는 모습이 보기 좋았다. 아나운서로는 키가 조금 작은 것 같아 운동기구인 거꾸리를 소개하고 실제 효과사례를 얘기해 주었더니 꼭 구입해서 해 보겠다며 고마워한다. 가까운 미래에 텔레비전에서 그녀의 일기예보 방송을 볼 수 있기를 응원한다.

불편한 개인택시

S 은행원의
희망

　　　　　　　　판교에서 수지까지 30대 중반 여성
은행원이 승차해서, 평소 신분당선을 이용하여 판교에서 동천역
까지 간 다음 마을버스 5대중 한 대를 타면 출근이 가능한데 오
늘은 몸 상태가 안 좋아 택시를 불렀다며 요즘 순환근무제에 대
해 이야기를 한다.

　최근 잦은 금융사고로 순환근무가 2, 3년마다 이루어지는데
분당, 판교에 살고 있는 직원들을 재배치하면서 집 가까운 지점
으로 이동시키지 않고, 멀게는 경기도 광주, 동탄, 평택까지 배정
을 한다고 한다. 본인도 10여 년째 근무하고 있는데 집 가까운 분
당에 배치받아 근무한 것이 딱 한 번 2년간이라고 한다. 평택에

배치받은 동료는 분당에서 평택까지 자동차를 운전하며 출퇴근 하는데, 편도 1시간 30분 이상 소요되어 너무 힘들어한다며, 은행노조에서는 왜 아무것도 안 하는지 모르겠다고 한숨을 쉰다.

근무지 순환 배치를 할 때 가능하면 집 가까운 곳에 근무지를 배정해 주면, 직원들이 먼 거리까지 자동차를 운전할 일도 적어지고 업무효율도 훨씬 높아질 텐데 많이 아쉽다며, 근거리 배치가 어려우면 재배치 이후에라도 광주에 살고 있는 직원이 분당으로 발령 나고, 분당 거주자가 광주로 발령 나면, 직전 근무지가 아니라면 두 사람이 상호 협의해서 서로 근무지를 교환할 수 있는 방식이라도 도입해주면 좋을 텐데, 현실은 아무것도 되는 것이 없다고 한탄한다.

은행직원들에게 주는 금융지원 복지정책도 본인 은행에서 대출받으면 인당 2천만원까지만 가능한데 대출이자가 일반인 대출보다 높아, 꼭 필요할 때는 경쟁사에서 대출을 받아야 하는 불편함이 있는데 금융노조는 너무 힘도 없고 하는 일도 없다며 답답해한다. 무엇보다도 근무지만은 집 가까운 곳에 배치해 주는 것이 개인, 회사, 국가차원에서도 서로 윈윈이 된다고 생각한다.

불편한 개인택시

출퇴근에 대한
고민

판교에서 30대 초반 여성 승객이 승차해서 경기도 구리시까지 36km 거리를 가자고 한다. 게임회사에서 4년째 게임 유지, 관리업무를 하고 있는데 출퇴근 거리가 너무 멀어 회사를 계속 다닐 수 있을지 고민이라고 한다. 1주일에 3~4회 새벽 1시경 업무가 종료되어 가까운 분당 수내동으로 이사를 했으나 그 시간에는 택시가 전혀 안 잡혀서 다시 구리 본가로 이사했다고 한다.

평상시 출퇴근은 지하철을 이용하는데 각각 1시간 30분이 걸려도 회사에서 프로그램 관련 업무를 배울만한 선배들이 있어 거리가 멀지만 업무에 집중해 왔는데 배움을 줄만한 선배들이 모두 개발부서로 이동해서 답답한 상황이라고 한다. 입사 초기엔 팀장이 다른 부서로 이동을 원하면 적극적으로 지지해 주겠다고 했기에, 근래에 개발부서 팀장들과 합의되어 부서를 옮기려고 하였으나 부서팀장의 반대로 무산되었다고 한탄한다.

팀장도 나름 실력이 있는 사람이라고 해서, 업무진행 중 어려움이 있으면 수시로 팀장에게 물어 배워보라고 하니, 팀원들이 모두 보고 있어 눈치가 보여 어렵다고 한다. 그러면 공동과제를 진행하며 수시로 팀원들과 업무 관련 협의를 통해 일을 배우고, 팀원들이 해결하지 못한 과제는 공동으로 팀장에게 도움을 요청해서 배우면 좋겠다고 하니 좋은 방법이지만 일단 개발부서로 옮기는 것이 목표라고 한다.

출퇴근 거리가 너무 멀면 회사를 계속 다니기 어려우니, 진정으로 개발부서로 옮기고 싶으면 먼저 집에서 가까운 다른 회사로 이직 가능성을 알아보고, 팀장에게는 기간을 정해서, 예를 들면 연말까지 현재 업무를 진행하고 내년에는 개발부서로 이동을 허락해 달라고 사전 협의하고, 그때도 안 되면 사표를 내고 다른 회사로 갈 것이라고 이야기하면 지원해 줄 가능성이 높으니, 한번 시도해 보라고 하니 좋은 방법이라며 해 보겠다고 한다. 모

쪼록 본인이 원하는 직장생활을 할 수 있는 기회가 꼭 제공되길
기원해 본다.

추석차례는
언제까지

서현에서 광주 신현리까지 40세 정도로 보이는 여성이 시장을 보았는지 양손에 장바구니를 들고 승차해서, 내일 추석차례를 지내는지 물어보니 지낸다고 하며 이야기를 시작한다. 할아버지 할머니와 함께 아빠묘소가 있었는데 아빠 형제들이 다음 세대에서는 추석차례와 성묘가 없어질 거라며 묘소를 없애고 납골당에 모신다며 파묘를 하자고 했는데 본인이 반대해서 아빠 묘소만 여전히 오포에 있다고 한다. 매년 본인이 벌초하고 차례를 지내고 있는데 아빠에 대한 애정이 많이 남아 있다고 한다.

남편과 사별하고 어린 딸만 셋인 엄마와 재혼한 아빠는 딸 셋

불편한 개인택시

을 잘 키우기 위해 본인의 자식은 가지지 않고 정말 열심히 일하며 딸 셋을 모두 대학까지 보냈다고 한다. 덕분에 딸 셋 모두 결혼해서 잘살고 있는데 동생들은 1년에 한번 아빠 제사에만 참석하고 추석에는 시댁의 차례준비로 못 오지만, 본인은 시댁에서 차례를 안 지내 추석마다 엄마 집에서 차례와 제사를 지낼 수 있다고 한다. 아빠가 무뚝뚝하긴 했지만 살아계실 때 본인이 잠이 많던 중, 고교 시절에 늦게 일어나 머리 감고 아침을 먹고 있으면, 항상 아빠가 젖은 채 밖에 나가면 감기 걸린다고 드라이기로 머리를 말려주시고, 대학졸업 후 직장 다닐 때는 매일 전철역까지 오토바이로 출퇴근을 시켜주셨다며 그리워한다.

금년에는 처음으로 초등학교 6학년인 아들과 함께 아빠묘소 벌초를 했는데 외할아버지 얼굴을 기억 못하는 아들이 차례나 제사를 지내지 않을 게 명백한데 언제까지 지내야 할지 고민이 된다고 해서, 아빠가 정이 많은 분이셨던 것 같은데 본인 마음 가는 대로 하는 것이 좋을 것 같다고 하니 그러겠다고 하며 고마워한다.

광고회사
여직원

서현동에서 서판교까지 젊은 여성이 승차해서 본인의 고민을 털어놓는다. 미국에서 광고학을 공부하고 국내 제일의 광고회사인 J 기획에 입사해서 삼성전자 핸드폰 광고 업무를 담당했었는데, 수시로 야간, 주말작업에 업무강도가 높아 너무 힘들어, 입사 동기들은 대부분 6개월을 못 넘기고 그만두었고 본인은 3년 만에 퇴사하였다고 한다. 퇴사 후 중견 광고회사로 이직을 하고 근무하다 보니, 업무강도는 이전과 비슷한데 급여가 많이 낮아, 다시 이전회사로 복귀했지만, 생활리듬이 예전처럼 여전히 지켜지지 않아, 다시 그만두고 급여는 조금 낮아도 근무조건이 좋은 광고회사로 옮기면서 회사와 사전에 협의하여 개인 광고회사도 시작했다고 한다.

남자친구가 너무 마음에 들어 일찍 결혼하였는데, 친구들은 의사남편을 두었는데 집에서 혜택을 누리며 쉬라고 하는데 본인의 업무에 대한 열정을 살리고 성취감을 높이기 위해 열심히 달리고 있다고 한다. 시골에 사는 시부모님이 손주를 보고 싶어 하시는데 광고회사 여자 선배들은 모두 하나같이 직장생활과 병행하기엔 너무 힘들다고 아이를 갖지 말라고 하는데, 양가 부모님 또한 아이를 돌보아 줄 상황도 아니어서 더욱 고민이 크다고 한다. 현재 근무하는 회사에서 출산휴가를 2년 준다고 해서 요즘 어린이집에 아이를 맡기면 출생 후 8개월부터 가능하니 아이를 가지려면 하루라도 빨리 가지는 것이 좋을 것이라 하고, 본인의 일은 출산휴가 기간 동안 시간이 나는 대로 개인 광고회사를 운영하면 경력단절도 없고 좋겠다고 하니 남편과 다시 애기를 해 보겠다고 한다. 모쪼록 본인이 원하는 두 마리 토끼를 모두 잡기를 기대해 본다.

동시통역사

서현동에서 서울 상암동 월드컵경기장까지 30대 여성승객이 탑승했다. 월드컵 경기장에서 세계 축구역사에 한 획을 그은 드로그바, 앙리, 피구, 카카 등 전설의 레전드들이 모인 "아이콘매치"를 주관하는 회사의 직원으로 행사 지원을 위해 일요일임에도 출근한다고 한다. 회사의 축구게임을 홍보하는 마케팅 차원의 행사로 오후 6시부터 TV에서 생방송으로 방영하니 꼭 보라고 권장한다.

본인은 영어 동시통역사로 과거 미국 게임업체에서 프리랜서로 근무하다가, 우크라이나 침공에 대한 미국의 러시아 추가 제재로 러시아 협력업체와의 업무추진에 많은 문제가 발생하였고, 최근 AI 기술의 비약적인 발전으로 각종 외국어 통역이 핸드폰을 통해 쉽게 이루어지는 것을 보면서, 직업의 안전성에 불안감을 느껴 현재 회사에 정식직원으로 이직하여 근무하고 있다고 한다. 주요업무는 통역이지만 AI를 이용한 영문계약서 내용이 적절하게 되었는지를 검수하는 업무를 하고 있는데, 계약서에 사용되는 '전문 법률용어' 공부를 더 깊이 있게 해야 할 것 같다고 한다.

세상이 너무 빠르게 바뀌고 있으니, 그에 맞추어 개인의 능력도 중단 없이 지속적으로 향상시켜야, 직장에 자리가 보전되는 시대가 된 것 같다.

다섯 번 헤어진
여성

분당에서 경기도 광주까지 20대 여성이 승차해서 이야기를 시작하는데, 6살 연상인 32세 남자와 1년동안 동거를 하고 최근 헤어졌는데 다시 만나야 할지 고민이라고 한다. 과거에도 4차례 헤어졌다가 다시 만났는데 이번이 다섯번째라고 하며, 헤어지고 나면 항상 본인이 술 마시고 또 연락을 해서 다시 만나곤 했는데, 다시 또 연락을 해야 하는지가 고민이 된다고 한다.

남자 친구는 부모님도 모두 돌아가시고, 형은 외국에 이민가서 살고 있고 한국에는 혼자만 외롭게 살고 있는데, 대기업에 다니는 본인과 오랫동안 사귀어 왔지만, 직장동료들로부터 오는 카

불편한 개인택시

톡내용에 무척 민감해하고, 수시로 대화내용을 읽어본 후 직장동료와의 관계를 의심한다고 한다. 그러면 본인이 평범한 동료관계라고 설명하고, 그 동료도 과거에 만났던 사이라 확인전화해 보라고 하면 더욱 화를 내어, 다음날 직장동료에게 전화를 해 달라고 해서 통화하면, 아무런 문제 없다고 하고서는, 저녁에 둘이 만나면 직장동료와 함께 말을 맞추었다고 하며 화를 낸다고 한다.

이야기를 들어보니, 남자보다 여성의 집착이 강한 것이 더 큰 문제라고 지적하고, 남자가 본인보다 여성을 더 위하는지, 평소에 정신적으로 행동적으로 욱하는 스타일이 아닌지 물어보니, 철저하게 본인 중심이고 모든 면에서 욱하는 성격이라고 한다.

동거를 하면서 한번도 결혼 이야기를 안 한 것은, 그 남자가 볼 때 여성이 관계에 매달리는 상황이고, 버리긴 아깝고 먹기에 불편한 "계륵" 같은 존재인 것 같다고 답해주며, 본인 명대로 살고 싶으면 하루라도 빨리 정리하는 것이 답이라고 대답해 주었다.

젊은 남녀관계라는 것이 오묘하기도 하지만, 아니라고 판단될 때 과감하게 정리해야 하는데, 미련을 가지는 것이 미래의 불행을 키우는 원인이 되는 것 같다.

다양한
직업

SNS
인플루언스

        율동공원 부근 콜을 받아 출발하는데 승객으로부터 전화가 왔다. 멍멍이가 두 마리인데 태워도 되냐고 물어, 케이지 안에 넣었냐고 물어보니 케이지는 없고 그냥 두 마리가 타야 하는데 둘 다 아주 얌전하다고 해서, 승차를 허락하고 현장에 도착하니 중형견 두 마리가 차에 올랐다.

    20대 여성이 개들에게 앉아서 조용히 하라고 하니 정말 가만히 있었다. 오포 신현리까지 내비게이션에 따라 호수 둘레 길을 따라가는데, 일요일이라 정문 출구 쪽에 차들이 많이 대기하고 있다. 나가는데 오래 걸릴 것 같다고 얘기하니, 콜을 받고 올 때 반대 차로에는 교통체증이 없었는지 묻더니, U턴해서 돌아서 가

        불편한 개인택시

자고 한다.

개 두 마리를 키우면 힘들지 않느냐고 하니 재택근무라 별로 어려움은 없다고 한다. 코로나도 끝나고 다들 출퇴근하는데 아직 재택근무하는 회사가 있느냐고 하니, 인스타그램 인플루언스이고 팔로워가 수십만인데, 주제는 두 마리 개를 어렸을 때부터 지금까지 키우면서 성장하는 모습을 공유하고 애견 의상을 갈아입히며 팻 패션을 소개하는 것인데, 본인도 함께 인스타그램에 출연한다고 한다. 관련 회사들마다 팔로워 인원수에 따라 각각의 기준을 가지고 개인적으로 광고비 제안을 접속해 오는데 수입이 꽤 괜찮다고 한다.

혹시 기혼이라면 집에서 아내가 돈 벌어주니 남편이 좋아하겠다고 하니, 아직 결혼은 안 했고 사업하는 남자친구와 동거 중인데 결혼 여부는 추후 결정할 예정이라고 한다. 직업도 결혼관도 요즘 세대답다는 생각이 들었다. 세상이 점점 다양해지면서 직업도 정말 다양해지는 것 같다.

웨딩플래너

일요일 아침 광주 신현리에서 판교 역까지 여자 승객을 태웠는데 직업은 웨딩플래너라고 하며 결혼 예비자들과 상담을 통해 결혼 스케줄, 예산, 개인성향 등의 고객정보를 분석하고 그 정보를 바탕으로 그에 따른 최적의 웨딩을 기획한다고 한다. 고객이 선택한 웨딩 관련 업체를 방문하여 고객의 결정사항에 대해 계약과 발주를 대행하는데 신부드레스부터 신랑, 신부화장, 사진촬영, 예식, 신혼여행지까지 하나하나 설명하고 고객과 업체와의 업무를 중간에서 조율한다고 한다.

코로나 이후 밀린 결혼식이 많아 업무는 차고 넘친다고 하면서, 개인 웨딩플래너들이 만나 공동회사를 설립하고 각자 수입의 70%는 본인이 30%는 회사에 귀속시킨다고 한다. 회사를 유지하는 이유는 회사를 보고 고객이 찾아오는 경우가 많고, 사고가 발생했을 경우 개인이 책임지지 않아도 되는 장점이 있다고 한다. 최근 스몰결혼식이 호텔에서 많은데 실속이 있느냐고 물어보니, 하객수와 결혼 축의금을 따져보면 일반결혼식보다 훨씬 비싸다고 한다. 최근 가장 선호하는 신혼관광지는 하와이, 발리 순이라고 하면서 요즘 결혼하는 커플들을 볼 때마다 정말 용감하다는 생각이 든다고 한다. 과거에는 결혼이 당연하다고 여기는 분위기였는데, 지금 생각해보니 정말 용기가 필요한 것 같다는 생각에 공감한다.

중학교
교사

아침 TV 뉴스에서 중학교 교사가 체육활동을 하고 단체 사진을 찍었는데, 그 사진에 본인 아들이 없다며 학부모가 교사의 딸까지 위협하는 내용의 편지를 보낸 사실이 보도되었다. 분당에서 서판교까지 중학교 여교사가 승차하여 가는 도중 아침에 본 뉴스에 대해 얘기하니, 말도 말라며 한숨부터 쉰다. 예전에는 가르치는 것 외에 행정업무가 많아 힘이 들었는데 요즘은 학부모 민원이 해도 해도 너무한다며, 본인의 직업에 회의감이 든다고 한다. 최근 학교에서 학부모 민원을 줄이기 위해 학교 운동장은 체육 수업시간 외에는 사용금지하고 건물내부 복도도 화장실 가는 용도 외에는 이용하지 말고, 휴식시간에도 다른 친구 책상에 가지 말고 자기 자리에만 앉아 있으라

불편한 개인택시

는 방침을 내렸다고 한다. 심지어 버스를 이용하여 현장학습을 갈 때도 미리 좌석배치를 학생들과 조정하고 학생들 간 다툼도 사전에 예방해야 된다고 한다.

한참 혈기가 왕성한 아이들에게 운동장을 사용 못하게 하면 어떻게 하느냐고 하니, 아이들이 운동장에서 놀다 조금이라도 다치면 학부모로부터 민원이 끊임없이 올라오고 심지어는 치료비까지 교사가 배상 해줘야 하는 상황이 오고, 복도에서도 뛰다가 학생들끼리 부딪치거나 휴식시간에 다른 학생 책상 가까이 가서 문제가 발생하면, 또 학부모들의 민원이 시작된다고 한다. 아이들이 놀다가 넘어지면 다칠 수도 있고, 서로 생각이 다르면 다툼도 있을 수 있으며, 그런 과정들을 통해서 사회생활을 배우고 실수를 통해서 수업에서 얻을 수 없는 경험들을 익히는데 큰 걱정이라고 한다. 국회에서 학생인권은 점점 강화되어 왔는데 교사의 인권은 반대로 점점 추락하고 있다며 언제까지 교사를 할 수 있을지 모르겠다고 한다.

얘기를 들어보니 정말 우리 아이들의 미래가 걱정이 된다. 하루빨리 정치권에서 법을 개정하여 적어도 교사와 학생의 인권이 동등하게는 만들어 주어야 하고, 고의가 아닌 아이들끼리의 실수, 상처 등에 대해서는 학부모가 민원을 제기하지 못하도록 법적조건을 명확히 할 필요가 있다는 생각이 들었다.

애견
미용사

정자동에서 서판교까지 애견미용실을 운영하는 젊은 여성 승객이 승차해서, 요즘 어르신이든 젊은이든 애견을 많이 키우는데 모두 자식같이 여기며 키우고 있어 미용에 많이 신경을 쓴다고 한다. 고정단골이 많은데 애견 종류마다 미용을 할 때 반응이 다 다르다고 하며 미용 중 움직이거나 짖고 무는 애견들이 있어 사람 머리카락 손질보다 더 어렵다고 한다.

가끔씩 미용대회에 참여하는 애견을 데리고 오면 정말 집중해서 최선을 다해야 하는데, 좋은 결과가 있으면 보람도 있고 광고효과도 크고 견주로부터 특별 사례금도 받는다고 한다. 최근 중국의 한 동물원이 중국 토종견 차우차우 두 마리를 염색해 판다견이라며 공개해 관심을 받고 있는데, 염색이 애견의 털, 피부, 모낭 등에 문제가 있다며 동물학대라고 사람들이 주장하는데 실제로 문제가 있는지 묻자, 염색이 사람들에게 미치는 영향과 비슷하다며 애견종류에 따라 민감한 개들도 있고 거의 영향을 받지 않는 개들도 있는데, 고객들 중 펑키스타일 미용이나 부분염색을 원하는 사람들도 많다고 한다. 애견을 사랑하고 키우는 것은 개인의 자유지만 모두 마지막까지 유기하지 않고 함께 행복하게 보내길 기대해 본다.

불편한 개인택시

간병인과
보호자

아파트 지하 주차장에서 오는 콜은 대부분 몸이 불편한 어르신들이 부르는 콜이다. 오전 9시 반경 판교에서 분당 장애인복지관까지 이동을 위하여 아파트 지하 주차장으로 갔더니, 남자 간병인이 택시를 기다리며 조금만 기다리면 어르신이 승강기로 내려오신다고 한다. 잠시 후 80대 후반 어르신이 지팡이를 짚고 오시는데 상당히 힘들어 보여, 간병인이 당연히 택시 뒷좌석에 타시는데 도움을 주겠거니 했는데 멀뚱멀뚱 쳐다보기만 하고 있어, 내가 얼른 내려 자리에 앉으시도록 부축해 드렸다. 어르신은 7년 전 뇌졸중이 왔었는데 다행히 초기에 치료를 받아 다리만 불편하시다고 한다. 최근 지인들의 뇌경색, 뇌졸중 사례를 말씀드리니 개인마다, 치료시기마다 회복의 정도가 엄청 차이가 난다고 하시고, 뇌졸중은 10년이 넘으면 병원치료 받아봐야 좋아질게 없다고 판단하여 건강보험에서 더 이상 지원해주지 않는다고도 하신다. 집 가까운 노인복지관을 두고 멀리까지 가시느냐고 하니 유사한 처지의 장애인들끼리 모이는 것이 정보도 많고 서로 처지를 이해해주어 마음이 편하다고 하신다. 목적지에 도착하면 간병인이 어르신 하차를 도와주기를 기대했는데 택시비만 계산하고 또 멀뚱멀뚱 보고만 서 있다. 하는 수 없이 얼른 내려서 어르신 하차를 도와드리는데 은근히 맘속에서 짜증이 올라온다.

몇 해 전 돌아가신 어머니가 코로나 시대에 중증치매로 요양병원에 계실 때, 임종을 2~3일 앞두고 병원에서 마지막 면회를 하라고 하여 병원 1층에서 긴급 코로나 검사를 받고 면회시간 10분을 할애 받아 어머니 병실에 올라가니 가쁜 호흡을 몰아쉬고 계셨다. 1년 전부터 이미 가족들도 몰라보는 상황이었지만 어머니 옆에 앉아 두 손을 잡아드리니 잠시 후 가쁜 호흡이 정상으로 돌아왔다. 그 순간 4인 병실을 간병하는 간병인을 돌아보니 병실 구석자리에 앉아 핸드폰을 하느라 정신이 없다. 환자보호를 책임지고 일하는 사람이 환자보다는 본인의 핸드폰 수다에 집중하고 있어 많은 짜증이 났지만, 어머니를 위해 앞으로도

불편한 개인택시

호흡이 빨라지면 손만 잡아달라고 부탁하고 내려왔던 기억과 겹쳐지며, 보호자와 간병인의 차이를 확연하게 재확인하게 되었다. 대부분의 간병인들은 성실히 환자를 보살피겠지만, 남의 부모 간병을 책임졌으면 내 부모라 생각하고 항상 도움을 주고자 하는 마음이 없는 자세가 많이 아쉬웠다.

헬스장에서 함께 운동하는 83세 전직 고등학교 교장선생님이 내 얘기를 들으시고, 최근 본인이 병원에 11일간 입원해서 목격한 내용을 말씀하셨다. 58세 남성 뇌수술 환자를 간병하는 여성이 환자 목욕을 시키면서, 꼴에 아직도 남성이 반응한다며 환자를 비웃고, 밤에 간병인 잠자리가 불편하다며, 환자가 거부하는데도 환자 침대에 올라 옆에 비좁게 누워 자는 것을 보면서, 가슴이 많이 답답했었다고 하신다.

주택부지
원가계산 담당

　　　　　　서울시와 경기도에서 대단위 주택 부지를 개발할 때 부지의 원가계산을 담당하는 업무를 하는 승객이 탔다. 대형 주택 부지를 개발하는데 원가계산을 마치고 대표이사까지 결재를 받은 후에 원가입력 숫자에 오타가 있었음을 알았지만, 이미 대표이사 결재를 받은 이후라 재보고를 할 수 있는 상황이 안 되어 침묵을 지키고 있었다고 한다, 그런데 해당 부지의 아파트 분양가가 터무니없이 비싸다며 언론에서 집중적으로 떠들어 대자, 사내감사, 주택공사 감사까지 받았고, 다 무사히 넘어갔는데 마지막 감사원 감사에서 감사담당자가 부르더니, 원가계산 관련 이것저것 캐묻고 왜 원가 계산수치에 오류가 있는지 물어왔다고 한다.

　　　　　　　　　　　　　　불편한 개인택시

올 것이 왔다고 생각하여 변명보다는 바로 오류를 인정하니, 왜 오류를 바로 잡지 않았냐고 물어와, 숫자 오타가 분양가 전체에 영향을 줄 정도로 크지 않았고, 언론에서 지금 한창 떠들고 있는데 이를 얘기하면 감당이 안 될 것 같아 넘어 갔다고 해명하면서, 그동안 조마조마했는데 이렇게 오류를 잡아주니 고맙고 덕분에 묵은 체증이 내려간다고 하고 자리로 돌아왔는데 감사가 끝날 때까지 관련 확인서 제출을 요구하지는 않았다고 한다. 마지막 날 업무종료 후 감사담당자에게 물어보니, 본인도 이를 공개적으로 문제 삼을 경우 언론을 상대할 자신이 없어 그냥 넘어 갔다고 한다.

감사가 끝나고 얼마간 시간이 지난 후 지난번 감사담당자가 전화를 해서, 개인사정으로 설악산 콘도 방이 3개 필요한데 예약에 도움을 줄 수 있느냐고 해서, 당시 콘도 영업담당자가 고등학교 후배이고 회사이름으로 상당히 많은 콘도 회원권을 팔아주었기에 전화를 했더니, 방 3개를 잡아주며 용도가 무엇인지 물어와 사실대로 설명을 했다고 한다.

며칠 후 감사담당자가, 덕분에 가족, 친지들에게 자신의 위상을 제대로 세웠다며 고맙다는 전화를 받아, 콘도 영업담당 후배에게 전화를 해보니 후배가 방마다 꽃바구니와 과일 바구니를 서비스로 넣어 주었다고 했단다. 고교후배에게 많은 회원권을 팔아주며 일체 접대를 받지 않았는데 이렇게 보답을 받는구나 생각하니 기분이 좋았고, 그때부터 그 감사원 감사와도 오랫동안 친하게 지냈다고 한다. 세상은 넓지만 먼저 베풀면 언젠가는 꼭 보답이 온다는 사실을 깨닫게 해주는 사연이었다.

불편한 개인택시

여성 댄서

일요일 오전 9시 40분경 정자에서 강남 청담사거리까지 여성승객이 승차했다. 예상했던 서울의 교회가 아니라 댄스공연이 오후에 있어 메이크업 받으러 미용실 가는 길이라고 한다. 오전 10시에 예약을 했는데 많이 늦었다며 최대한 빨리 가달라고 요청해서 성남콜로 받았으나, 건널목 정지신호에서 카카오 맵으로도 빠른 코스를 거듭 확인하니, 분당-내곡간 고속화도로를 타는 동일한 길이 뜬다. 도착 예정시간은 10시 16분이었다.

메이크업 담당자가 너무 일이 많아 약속시간을 꼭 엄수해야 하는데 늦었다고 걱정해서, 일단 전화로 도착예정 시간을 미리 알려주길 권하니 바빠서 전화는 안 받는다고 한다. 그래도 일단 전화를 해보고 연락 안 되면 문자로 도착시간을 미리 알려 주기를 권장했다. 아무 연락 없이 늦는 것 보다는 훨씬 낫지 않겠느냐고 하며, 이름 있는 메이크업 담당자라 비용이 비싸겠다고 하니, 연예인들은 30만원부터인데 본인은 10년 이상 단골이라 8만원만 받는다고 한다.

댄스공연은 스포츠댄스를 한다고 하며 룸바, 차차차, 삼바, 자이브 등이 포함된 '라틴댄스'와 왈츠, 탱고, 비엔나 왈츠. 퀵스텝 등이 포함된 '모던댄스' 중 후자를 전문으로 하는데, 이젠 나이가 들어 퀵스텝은 하지 않고 왈츠와 탱고만 공연한다고 한다. 왈츠와 탱고 모두 남자 파트너가 필요한데 러시아인 댄서가 파트너로 함께 공연하고 있다고 한다.

13년 전인 2011년 나이 50에 스포츠 댄스를 배우기 시작했는데, 어릴 때 전문 춤꾼이었던 아버지로부터 이런 저런 춤을 배운 것이 엄청나게 도움이 되었다고 한다. 춤을 배우는 초기부터 대부분 스텝들이 어릴 때 다 해본 것이라 남들보다 춤을 배우는 속도가 훨씬 빨라 강사들이 모두 놀랐다고 한다. DNA에 춤의 유전자가 강력하게 자리 잡고 있는 모양이라고 하니, 본인도 그런 것 같다고 한다. 그러나 댄스도중 몸을 다쳐 1년, 또 다쳐 2년, 코로

불편한 개인택시

나로 2년 총 5년이나 쉬었고, 늦은 나이에 댄스를 시작하다 보니 나이가 들면서는 몸이 잘 따라가지 못하는 동작들이 있고, 댄스에 집중하다 보면 다치는 경우가 있다고 하며 내년까지만 공연을 하고 은퇴할 거라고 한다.

요즘 60대들이 댄스를 배우겠다고 댄스학원에 다니는 것을 보면 본인의 경험상 이해가 안 된다고 한다. 내가 그분들은 콜라텍에서 즐기기 위해 춤을 배우는 것 같다고 하니, 예전에 본인 연습실이 있는 건물 지하에 콜라텍이 있어 호기심에 잠깐 들른 적이 있었는데, 춤을 좀 춘다는 사람들 수준이 소위 제비족 정도여서 너무 실망한 적이 있다고 한다. 남자 댄스강사들 중 많은 사람들이 예전에 대학을 못 가고 춤을 배워 정통 댄서가 아니고, 댄스학원 수입과 제비족으로 살아간다고 하며, 제대로 춤을 배우려면 꼭, 30대 강사 중 대학에서 무용을 전공하고 외국에서 춤을 정식으로 배운 강사들에게 배워야 한다고 강조했다.

맹인
안마사

야탑에서 정자까지 콜을 받아 가니 콜을 한 사람이 맹인 안마사를 택시에 태우며, 집 앞까지 안전하고 정확한 운전을 부탁하였다. 안마사 본인은 현재 75세인데 40년 넘게 안마 일을 하고 있다고 하시며 안마시간이 2시간 30분이라 손에 힘을 유지하기 위해 평소 양손에 10kg 아령을 하나씩 들고 30분간 걷고 있다고 하신다. 그 외에도 30분을 추가로 할애해 온 몸 스트레칭을 하면서 건강을 유지하는데 아직 고혈압, 고지혈, 당뇨 등 성인병 관련 약은 먹고 있는 것이 없다고 한다. 시력은 전혀 안 보이는 것은 아니고 빛은 어렴풋이 보인다고 하시며 아파트 1층 현관 정확히 중앙에 내려 달라고 하신다.

나도 아직 성인병 관련 약은 먹지 않고 있으며 꾸준히 운동을 해오고 있다고 하니 젊은 사람이 당연한 것 아니냐며 나이를 물어보신다. 한번 알아맞혀 보시라고 했더니 내 목소리를 들었을 때 아직 젊은 기가 강하게 남아있어 30대 중반이라고 하신다. 웃으면서 그 보다 많다고 하니 아무리 많아도 40세 정도로 들린다고 하여 실제 나이를 알려주니 깜짝 놀라신다. 정말 몸 관리를 잘해왔다고 하시면서 그 나이가 되면 심하게 아프거나, 집안에 우환이 크게 들어오면 갑자기 늙는 수가 있으니 항상 조심하고, 운동은 본인 힘이 100이면 절대로 70 이상은 사용하지 말라고 하시면서 목소리로 평가할 때 120세까지는 문제없을 거라고 하신다. 오래 사는 것 보다는 건강하게 살다가 남자 평균 나이 정도에 돌아가는 것이 목표라고 하니, 웃으시며 그보다는 훨씬 오래 살 거라고 하신다. 아파트 앞에 도착하여 현관 엘리베이터까지 안내해 드리니 고마워하셨다.

청담동
미용사

서현역에서 강남300 골프장 근처까지 50대 여성승객이 승차해서, 지하철을 잘못 내려 수내역에서 하차하게 되어, 롯데백화점에서 세일하는 갈비를 사고 서현역까지 걸어와 택시를 탄다고 한다. 강남 청담동에서 30년째 미용실을 운영하고 있고 처음 20년은 미용실 근처에서 살았는데, 집과 직장이 가까우니 퇴근을 해도 생각이 직장을 떠나지 않아 너무 힘든 시간을 보내다가, 공기 좋고 전망 좋은 집을 찾다가 광주 오포 강남300 골프장 옆 빌라를 구입해 10년째 살고 있다고 한다. 출퇴근 시간이 각각 2시간 가까이 걸리지만, 출퇴근하는 동안 생각을 정리하고 이곳저곳 둘러보는 재미가 쏠쏠하다고 한다.

본인이 처음 오포로 이사를 왔을 때는 언덕 위에 본인들 빌라만 있어 경치도 교통도 너무 좋았는데, 1년도 안되어 수많은 빌라들이 지어져 교통은 엉망이 되었지만, 이제 모든 것을 긍정적으로 바라보는 습관이 생겨 전혀 문제가 없다고 한다. 나중에 이사 온 사람들이 교통이 엉망이라며 불만을 얘기하는데, 본인이 볼 때는 그런 모든 사정들을 알고 이사 들어왔는데 왜 그토록 불만인지 모르겠다고 한다.

청담동에서 오랜 세월 미용실을 운영하다 보니 웬만한 연예인들은 모두 다녀갔는데, 언론에서 말하는 만큼 나쁜 연예인은 없다고 하며 언론이 터무니없이 과장하는 경우가 많다고 한다. 청담동 사람들 중 일부는 다이아몬드, 금수저들로 수백억 하는 건물들도 너무 쉽게 구입하는 반면, 나이 든 사람들은 부동산과 주식에 돈이 물려있어 현금여유가 많지 않다고 하고, 그리 행복해 보이지도 않는다고 한다. 돈이 많다고 세상이 항상 행복한 것은 아니니 나름 공평하다는 생각이 들었다.

전기자동차 충전기
설비업자

서현동에서 서초동까지 50대 직장인 승차해서, 전기자동차 충전기를 설치하고 운영하는 대기업에서 근무한다고 하며, 과거에는 자동차 충전기를 설치하면 비용이 200 정도 들고 정부에서 250 정도 지원금이 나오고 차량이 충전할 때마다 일정 수수료 수입도 있어 많은 업체들이 뛰어들었는데, 설치비의 50% 정도만 정부에서 지원하고 나머지는 충전수수료로 충당하라고 한 후, 자금여력이 없는 중소기업부터 요즘 하나씩 폐업을 하고 있다고 한다. 전기자동차 숫자도 예상만큼 빠르게 늘어나지 않아 여러 가지로 힘들다고 하면서, 겨울철 날씨가 정말 추울 때는 배터리 용량이 50% 가까이 떨어지는데 난방까지 하면 정말 장거리 운행은 무리가 있는 것이 현실이라고 한다. 그러면서 정말 염려되는 부분은 전기차 배터리 화재라고 한다. 충전중이거나 충전 후에도 운행 중 작은 충격이 원인이 되어 화재가 발생하면 소화가 어려워 커다란 사회문제가 될 수도 있다고 한다.

개인택시 인수교육에서 강사가 전기자동차 택시 구입에 대해 질문받았을 때, 현재 전기자동차는 여러분들이 핸드폰을 타고 다닌다고 생각하면 된다고 했다. 핸드폰이 세상에 나온 지 오래되었지만 지금도 가끔씩 오작동이 발생하지 않느냐고 하며, 이제 개발된 전기자동차는 오죽하겠냐고 하면서 향후 5년 이후나 구입을 검토해 보라고 했다고 하니, 본인도 공감한다고 한다. 자동차가 점점 전기, 전자화되면서 급발진 사고도 많아지는데, 요즘 여러 나라에서 실험하고 있는 무인차량이 과연 안전할지 기대보다는 염려가 된다.

대학
물리학교수

　　서현동에서 수원에 있는 S 대학까지 물리학을 가르치는 60대 교수가 승차해서, 요즘 이과생들 중 일부는 고등학교에서 물리학을 안배우고 온 학생들이 있다고 한다. 이과에서 물리학이 선택과목이 되면서 안배우고 대학에 오는 학생들이 의외로 많고, 공대생의 필수과목인 공업수학에서 시험을 보면 20% 정도가 0점을 받는다고 한다. 공대에 입학한 학생들이 가장 기본인 물리와 공업수학을 포기하면 어떤 과목을 전공할 수 있을지 염려가 되기도 하지만, 한편으로는 건축이나 식품전공 분야는 필요 없을 것 같기도 하다.

　　얼마 전 고등학교 수학교사와 학원 강사를 태웠는데, 두 사람 모두 요즘 수학이 필요 이상 너무 어렵고 학생들 중 나중에 고등수학을 필요로 하는 학생들은 3%가 안 될 것인데, 나머지 학생들은 산수만 하고 수학공부 할 시간에 다양한 외국어를 배우는 것이 국가의 미래를 위해서도 훨씬 나을 것이라고 하는데 공감했다. 우리 젊은이들의 미래를 위해서 정말 급박하게 필요한 것은 교육혁신이 아닌가 한다. 점수를 위한 공부보다는 지혜로운 삶을 위한 공부, 함께 살아가기 위한 공부가 진정 필요한 시기가 되었지만, 정부 당국은 아직도 저출산 문제에만 관심이 있는 것 같아 아쉬움이 크다.

롤러스케이트 선수

　　　　　　　　　　　서현에서 오포까지 여고생이 승차해
서 롤러스케이트 실내연습장까지 가자고 하는데, 카카오 지도
안내에 따라 목적지에 도착하니 엉뚱한 곳에 가게 되었다. 여학
생에게 정확한 길 안내를 부탁해서 왔던 길을 되돌아가며 간신
히 목적지에 도착하게 되었는데, 숲속에 위치한 아무런 상호도
없는 허름한 조립식 건물로 보였다. 롤러스케이트 연습장은 일
반 농구장 크기라고 하는데 훈련 중 넘어지면 시멘트 바닥이라
아이스 스케이팅보다 더 아프다고 한다. 아직 한국에는 많이 알
려지지 않았지만 아시안 게임에 정식종목으로 들어가 있고, 올
림픽 게임에는 아직 채택이 안 되었지만 세계대회가 있고 유럽
이 가장 선두를 달리고 있다고 한다.

일반 고등학교에 다니면서 롤러스케이트 선수로 지내는 것이 수업도 따라가야 하고 훈련도 해야 해서 쉬운 일은 아니지만, 본인이 좋아해서 주로 금, 토요일 밤 9시부터 다음날 새벽 2시까지 레슨을 받는데, 부모가 그 시간에 경기도 이천에서 데리러 온다고 한다. 김연아 선수가 피겨스케이팅을 시작했을 때와 같이 롤러스케이트가 지금 그때와 비슷한 환경이라고 하며 본인도 김연아 선수와 같이 세계적인 선수가 되는 것이 꿈이라고 한다. 힘든 종목을 선택한 것 같아 안타까웠지만, 본인이 좋아하고 꿈을 향해 꾸준히 노력하는 모습이 보기 좋았고, 가까운 미래에 TV에서 성공한 모습을 볼 수 있기를 기대해 본다.

시니어 모델

　　　　　　　　일요일 오전 분당 서현동에서 서울 서초동까지 여성이 승차했다. 본인은 대학에서 디자인을 전공하고, 관련 회사에 다니면서 운동의 매력에 빠져, 피트니스 대회에 나가기 위해 오랫동안 운동을 하였고, 예쁜 몸매를 만들기 위해 안 먹어본 영양제가 없다고 한다. 현재는 4년 차 시니어 모델 일을 하고 있는데 오늘도 모델 관련 회의에 참석하기 위해 서울로 간다고 한다.

　시니어 모델을 하면 수입이 괜찮은지 묻자, 수입보다 지출이 훨씬 크다고 한다. 키가 170cm로 큰 편이지만 73년생으로 나이가 있어 주로 전통 한복 모델로 활동하고 있는데, 모델로 나가기 전 머리, 피부 손질에 많은 돈이 들어가고, 가끔씩 외국에 나가

　　　　　　　　　　　　　　　　　　불편한 개인택시

모델 일을 할 때는 총비용이 수백만원이 드는데, 모델료는 수십만원에 그친다고 한다.

아들만 셋이 있고, 이제 막내가 고등학교 1학년이지만, 집안일만 하기에는 너무 답답해서, 가사도우미를 매주 3회 이용하면서 대외 활동을 하고 있는데, 그동안 남의 사업만 도와준 것 같아 본인이 하고 싶은 일을 찾아야겠다고 한다. 모델 활동이 남들이 보기에는 화려해 보이지만 실속이 너무 없다며, 기사님도 키가 크고 외모가 되시는 듯한데 혹시 마음에 두고 있다면 말리고 싶다고 한다. 모쪼록 그녀가 본인이 원하는 일을 찾아, 행복한 생활을 할 수 있기를 기대해 본다.

눈썹 문신
미용사

판교 S 오피스텔에서 고등동까지 20대 후반 여성이 승차해서, 눈썹 문신 가게를 운영하고 있다고 한다. 주요 고객이 눈썹이 빠지거나 희어지는 노년들인 줄 알았는데, 대부분 20, 30대 젊은이들이라고 한다.

눈썹 문신은 1회 20만원인데 한번 시술하면 1~2년 간다고 하고, 연고를 이용하여 부분마취 후 시술하기 때문에 통증은 거의 없다고 한다. 그 외에도 속 눈썹이 위를 향하도록 펌을 하기도 하고, 속 눈썹을 연결해서 길이를 늘이거나, 인조 속 눈썹을 특수 접착제로 붙이면 2주 정도 유지되는 작업도 한다고 한다. 그러면서도 원판 불변의 법칙이 있어, 원판이 좋으면 굳이 필요 없는 미용이기도 하다며 웃는다.

요즘 경제가 불황이라고들 하는데, 본인은 단골이 많아 문제 없다고 하며, 이 분야도 어떻게 시술하느냐에 따라 완성도 차이가 많이 난다고 한다. 젊은 여성이 본인이 좋아하는 분야에서 자신의 길을 찾아 행복해하는 모습이 보기 좋았다.

첫눈과
철물점 사장

경기도 광주 신현동에서 성남 모란까지 40대 후반 남성 철물점 사장이 탑승해서, 지난 11월 27일 내린 첫눈 이야기를 시작한다. 기상관측 이래 서울과 성남에 가장 많은 첫눈이 내린 날, 넉가래와 염화칼슘에 대한 수요가 넘쳐나서, 그동안 가지고 있던 재고를 모두 처분했다고 한다,

윤석열 정부에서 세수 부족으로 지자체에 염화칼슘 구입비용을 충분히 지원 해주지 못해서, 성남의 경우는 지자체에 수입이 많아 문제가 없지만, 경기도 광주의 경우는 지역은 넓고 세수가 부족해서, 염화칼슘 민원에 대응하고 무상제공 해줄 여력이 없었다고 한다. 그 결과 매년 겨울 500포대 정도의 염화칼슘을 팔

불편한 개인택시

았었는데, 올해는 개인 소매구매가 급증해, 첫눈에 500포대가 다 팔려서 재미를 봤다고 한다.

　그동안 윤석열 정부를 비판만 했었는데, 처음으로 칭찬할 일이 생겼다며 활짝 웃는다. 앞으로도 폭설이 서너 차례 더 오면 대박 나겠다고 하자, 폭설보다는 자주 오는 것이 훨씬 도움이 된다고 한다. 올해 겨울은 승객의 말대로 폭설보다는 조금씩 눈이 나누어 내리는 겨울이 되었으면 좋겠다.

장년의 삶

오랜
두 친구

　　　　　　　　　분당에서 용인에 있는 요양병원까지
가자고 80대 후반 두 어르신이 타셨다. 요양병원에 오랜 친구를
만나러 가는 길이라고 하시는데, 한분은 뒷좌석에 또 다른 한분
은 조수석에 앉으셨다. 조수석에 앉으신 어르신 손에 부동산 관
련 법무사 대봉투를 들고 계셔서, 친구 만나러 가시는데 부동산
관련 서류는 왜 가지고 가시느냐고 하니, 요양병원에 있는 친구
가 아들 하나 있는데 미국 유학까지 공부시키고 결혼은 물론 집
까지 사주었는데, 친구가 배우자와 사별하고 혼자 5년 살다가 가
벼운 치매가 오니 아들이 바로 요양병원에 입원 시키고 친구가
살던 아파트를 처분한 후, 요양병원비를 지불한다는 명분으로
매각대금을 다 가져갔다고 한다. 그러면서 1년에 한번 면회도

　　　　　　　　　　　　　　　　　불편한 개인택시

안 오고 친구들도 일체 만나지 못하게 했다고 하신다. 그나마 다행스럽게 서울에 친구 이름으로 시세 25억 정도 하는 꼬마빌딩이 하나 남아있는데, 아들이 부동산 등기부 원본과 인감도장, 월세 입금통장을 가지고 친구 본인은 손도 못 대게 하는데, 법무사로 평생을 보낸 오랜 두 친구들에게 어렵게 연락을 해 와서 오늘 만나러 가는 길이라고 한다. 자식이 여럿이면 재산분배에 나름서로 견제가 되는데 하나일 경우는 이렇게 독박 쓰는 경우도 있다며 허탈해 하신다.

친구가 남은 부동산을 처분하여 본인을 위해 쓰고 싶다고 하여, 꼬마 빌딩을 아들 모르게 매각하여 친구가 맘대로 쓸 수 있도록 도움을 주기 위해서 가는 길이라고 하신다. 부동산등기는 원본에 관계없이 인터넷으로 프린트하면 되고, 인감은 본인이 가까운 동사무소에 가서 변경 신고한 다음 두 어르신 도움을 받아 부동산을 매각하고, 친구 이름의 별도 통장에 입금시킨 후, 필요할 때마다 현금으로 사용할 수 있게 모든 준비를 해 주실 거라고 하신다. 가능하면 요양병원도 두 친구 가까이에 있는 분당 쪽으로 옮기기를 원하고 있어, 모쪼록 두 어르신의 도움으로 부동산 처분 잘하시고 남은 인생 본인의 의지대로 사시길 기원하면서, 한편으로는 현시대의 물질주의 폐해를 보는 것 같아 마음이 씁쓸하였다.

행복한
어르신

광주 신현동에서 서현동 올림픽 스포
츠센터까지 80세 여성 어르신이 승차했다. 서현동 올림픽스포
츠 센터에서 수십 년을 운동하다 광주로 이사 갔는데, 함께 운동
하던 친구들이 모두 그곳에 있어 항상 멀리 올림픽으로 운동 가
신다고 한다, 과거에는 주로 버스로 이동하였는데 3개월 전 인공
관절 수술을 받아 버스에 오르내리는데 시간이 오래 걸려 남들
에게 피해를 주지 않기 위해 택시를 이용하신단다. 오른쪽 다리
인공관절 수술은 크게 아프지도 않고 편하게 적응했었는데 왼
쪽 다리 수술 후에는 3개월째 불편하고 통증이 있어 담당 의사에
게 물어보니 처음에는 한쪽 다리가 정상이었지만, 그 후 5년이
지났고 이젠 정상적인 다리가 없으니 당연하다고 하면서 아프

불편한 개인택시

면 복용하라고 진통제만 처방 해주었다고 하신다. 시골에 사는 내 둘째 누나도 5개월 전 두 번째 인공관절 수술을 받았고, 아직도 아프다고 하는데 동일한 이유인 것 같다. 이왕 재활운동 하시는데 남편분과 같이 하시면 더 좋지 않느냐고 하니 남편은 텃밭 농사로 매일 바쁘다고 하신다.

큰아들 부부가 미국에서 박사학위를 받았고 며느리는 대학교수로 아들은 대기업 부장으로 근무 중인데, 동탄에 사는 며느리가 본인도 바쁠 텐데 매주 음식과 시아버지 간식거리를 만들어 집에까지 갖다 준다며 너무 고맙다고 하신다. 대부분 많이 배운 여성들이 시부모는 별로 신경 쓰지 않는데 고학력임에도 본인들에게 너무 잘해주고 있다고 하시면서, 지금 택시를 타는 것도 큰 며느리가 아들 셋을 모두 훌륭하게 키우셨는데 택시 타고 다니라며 교통비까지 지원해 준다고 자랑하신다. 큰손자가 중3으로 영재학교에 다니면서 밤늦게까지 스스로 공부를 정말 열심히 한다고 자랑하시기에, 큰 며느리에게 상을 주어야 되지 않겠느냐고 했더니 방법을 물어보신다. 큰 아들 부부가 방학에 해외여행 다녀올 수 있도록 자금지원 해주는 것도 좋겠다고 말씀드리니, 큰아들은 1년에 6개월은 해외로 돌아다닌다며 안 할 거라고 하신다. 업무로 가는 해외 6개월보다는 휴가로 가는 해외 6일이 훨

씬 가치가 있다며 휴가비 지원해 주시면 좋아할 것이라 하니, 적
극적으로 검토해 보신다며 고마워하신다.

불편한 개인택시

결혼식장
사장님

구미동 시니어타워에서 여자 어르신이 승차하셨다. 서현동에 있는 AK백화점 문화센터에 강의 들으러 가시는 길이라며, 코로나 전까지 서울에서 결혼식장을 운영하시다가 나이가 들어 다 처분하고 시니어타워에 살고 계시는데, 코로나 전에 운 좋게 결혼식장을 매도하여 남은 삶에 필요한 충분한 자금을 보유하고 있다고 하신다. 결혼식장 운영할 때 데리고 있던 자가용 기사가 있어 실버타운까지 출퇴근을 시켰는데, 사업을 접은 후론 자동차를 이용하는 빈도도 확실히 줄고, 기사가 출근해서 하루 종일 지하 주차장에서 대기하는 것도 아닌 것 같아 자동차도 기사도 모두 없애고 택시만 이용하고 있다고 하신다.

본인이 결혼식 사업을 접은 이유 중 하나로, 젊은이들의 결혼 추세를 보면서 이젠 한계에 왔다고 판단하여 처분하게 되었다고 하시면서, 가장 기억에 남는 결혼식은, 갓 결혼한 부부가 신혼여행을 가기 위해 인천공항으로 가는 도중 다툼이 있었는지 공항에서 결혼식장으로 전화해서 신혼여행 포기하고 결혼식 사진도 모두 찾지 않을 것이니 폐기해 달라고 한 경우라며 혀를 끌끌 차신다. 요즘 젊은이들이 결혼에 대해 너무 가볍게 생각하고 행동하는 것 같다고 하시며, 우리나라 미래가 걱정이라고 하시는데 공감이 많이 간다.

불편한 개인택시

압구정
노부부

서현동 시범 현대아파트에서 압구정까지 노부부가 승차했다. 압구정에서 오래 살면서 같이 지내온 친구 부부들과 1주일에 3회 점심식사 모임이 있어 가시는 길이란다. 압구정에서 20년 살고 분당 구미동에 빌라를 구입하여 이사한 후, 30년째 분당에 살고 계신다고 하시며 과거 압구정에 살고 있을 때는 아파트는 물론 땅도 꽤 많이 가지고 계셨는데 분당으로 이사 오면서 다 처분하셨다고 한다. 지금까지 땅을 가지고 계셨으면 정말 큰돈이 되었을 텐데 아쉽지 않으시냐고 하니, 가지고 있어봐야 세금만 많이 냈을 텐데 아쉬운 건 없다고 하신다.

본인이 하던 기름 관련 사업은 대를 이어 아들이 맡아서 잘하고 있으니 걱정도 없고, 노후에 쓸 만큼 충분한 자금도 있으니 건강만 잘 관리하면 된다고 하시며, 현재 살고 있는 현대 아파트는 교통도 불편하고 주변에 맛있는 식당도 없다고 하시며 최근에 둘러 본 수내동 주상복합 건물에 대해 물어보셨다. 주상복합 건물이 시세보다 많이 저렴한데 구매해도 되는지, 수내역 주변 맛집은 많은지를 물어보셔서 수내동 주상복합 건물들은 과거에도 아파트보다는 저렴하였고, 등기부 상에 이상 없으면 구입하셔도 된다고 하고 수내동은 직장인들이 많아 맛있는 식당들이 많고 교통도 지하철역이 바로 앞에 있어 많이 편리하실 거라고 말씀드리니 좋아하신다.

구미동에 있는 시니어 타워에 대해서도 그동안 택시를 이용한 시니어 타워 승객들이 모두 만족하며 좋아하신다고 안내드리니, 과거 평판이 안 좋았었는데 지금은 좋아졌는지 모르겠지만 아직 시니어타워에 들어갈 마음은 없고, 현재 살고 있는 현대아파트를 처분하는 대로 수내동으로 옮길 것이라고 하시면서 1주일에 3회 압구정까지 택시를 태워줄 수 있느냐고 물으신다. 택시 명함을 드리며 가능하면 하루 전에 연락주시면 모시겠다고 하니, 또 연락 주신다며 약속된 초밥 전문식당으로 들어가신다.

나이가 들어도 정기적으로 친구부부들과 식사모임에 참석하는
노부부를 보면서 부러운 마음이 들었다.

84세
어르신 모임

비가 많이 내리는 오전 10시 30분 경 분당에서 압구정까지 점심식사 모임으로 한우리에 가신다는 여성 어르신이 승차했다. 비가 이토록 내리는데 모임에 가시냐고 물으니 한 달에 한번 3번째 월요일에 항상 점심모임이 있다고 하시면서, 고등학교 친구들인데 60세 환갑에 10명이 만나, 지금까지 24년째 매월 1회 12시에 점심모임을 유지하고 있는데 항상 전원이 참석한다고 하신다. 본인은 모임에 항상 제일 먼저 도착하는데 오늘도 그럴 것 같다고 하셔서, 11시 20분경 도착한다고 말씀드리니 역시 내가 가장 먼저 도착할 거라며 좋아하신다.

그 연세에 10명이 모두 꾸준히 나오는 것이 대단하다고 하면

불편한 개인택시

서, 남자 분들이었으면 이미 반쯤 땅속에 있거나 누워 있을 것이라고 하니, 실제로 모임 친구들 남편 중 이미 일곱은 저세상으로 갔다고 하신다. 건강유지의 비결은 항상 주기적으로 운동하고 잘 먹고 잘 자고, 가장 중요한 것은 이 세상에서 일어나는 모든 일에 항상 감사하고 긍정적으로 대하는 마음자세라고 하신다. 매주 세 번씩 중앙공원을 걷고 계신다고 하여, 새로 설치된 황톳길에 가보셨냐고 여쭈니, 한번 갔는데 바닥이 너무 미끄러워 안 가신다고 한다. 우리 나이에 넘어져 고관절 부러지면 즐거움 끝. 한번 들어가면 죽어야 나오는 요양병원 생활 시작이라고 하시면서 요양병원에 가보면 숨만 쉬지 시체와 다름없이 누워있는 사람들이 너무 많고, 그에 따른 정부지원금도 점점 늘어나는데 너무 아깝다고 하신다. 나라의 미래를 생각하면 젊은 세대에게 가야 할 돈인데 하시면서, 우리나라도 하루빨리 안락사 제도가 도입되어야 한다고 강조하신다.

시니어 타워
승객들

분당 서울대병원 근처에 있는 시니어 타워에 살고 계시는 어르신들을 몇 차례 태우면서, 만족도를 물어보니 모두 만족하신다고 한다. 전체가 300세대 규모로 수영장, 당구장, 게이트볼장 등 놀이시설이 아주 잘되어 있고 여러 가지 다양한 강좌가 있어, 입실하여 3년 정도 지나면 입주민 대부분을 자연스럽게 알게 되어 좋다고 하신다. 좀 더 규모가 크면 아파트와 비슷하게 누가 옆집에 사는지도 모를 거라고 하면서 지금 규모가 딱 좋다고 하신다.

한 달에 개인당 제공되는 식사 40끼는 기본적으로 10,000짜리 식사가 나오는데 상당히 잘 나오고, 나머지 20끼는 본인들이 비용 지불하고 사서 먹어도 좋고, 이웃들과 맛집을 찾아 외식을 해도 좋다고 하신다. 아프면 바로 앞에 분당 서울대병원이 있어 든든하고, 비용도 25평 기준으로 보증금 2억 6천에 월 300 정도 들어가는데, 청소는 1주에 2회 호텔식으로 해주고 있고, 본인들은 집안에 설치된 세탁기나 시설내부에 설치된 빨래방에서 세탁만 하면 되어서 너무 편하다고 하신다. 특히 여자 분들은 식사준비와 집안 청소를 안 해도 되는 것이 너무 좋다고 하신다.

현재 대기 인원이 많고 입주민 중 60대가 5세대, 나머지 대부분은 70대 이상이라고 하시며 입주자격은 60세 이상으로 스스로 걸어 다닐 수 있어야 하니, 관심 있으면 미리 신청하라고 권장하신다. 어차피 자식들과 함께 살면서 노후를 보내는 시대는 아니니 한 번쯤 생각해 볼 일인 것 같다.

엄마의
사랑

서판교에서 산본까지 중년 여성이 아들집에 다녀오는 길인데, 아들이 독감에 걸려 누워있는데 며느리가 아들을 보살피지 않는다고 한숨을 쉬며, 그동안 아들이 다니던 병원에서 감기약 처방을 받아 약을 준비해서 왔다고 한다.

아들부부가 각각 직장을 다니다 아이를 낳게 되어, 며느리는 육아휴직을 내고 40일째 집에서 아이만 보고 있는데, 아이가 태어나기 전에는 집안일을 반반씩 했는데 이젠 아들이 다 한다며 속상해 한다. 아들은 직장에서 식사를 다 해결할 수 있는데 아이 돌보는 며느리를 위해 출근 전 아침식사 준비, 퇴근 후 저녁식사 준비하느라 매일매일의 생활을 힘들어 하며 두 손에 주부 습진까지 생겼다며 걱정을 한다.

본인이 매주 2회 아들을 위해 반찬을 만들어오고 집안 청소, 빨래까지 해주는데, 잘하는 일인지 모르겠다고 하며 시집간 딸도 집에서 아이만 키우는데도 힘들어 해 주 2회 아들집과 똑같이 해주고 있다고 한다. 아이들 결혼 전에는 결혼시키면 끝이라고 생각했는데, 지금 보면 결혼 전이나 후나 전혀 차이가 없다며 자식들이 결혼해도 걱정 안 해도 걱정이라고 한다.

내 친구 아내들 중 손주를 5년 정도 봐준 사람들이 10년 이상 폭삭 늙었고, 어깨, 무릎, 허리가 아프다고 병원 다닌다고 하면서, 시어머니와 친정엄마로 계속 그렇게 해주면 앞으로는 당연히 해주는 일이 될 텐데, 나이 들어도 해줄 수 있느냐고 하니 자신이 없다고 한다. 그럼 지금부터라도 자식들 지원하는 일을 줄이고 친구들 자주 만나고 함께 여행도 많이 다니라고 하니 정말 생각해 볼 때가 되었다며 고마워한다. 엄마들의 자식 사랑은 조건부 사랑의 남자들과는 달리 정말 끝이 없는 것 같다.

시력이
안 나와요

50대 중반 여성이 죽전에서 분당 서울대병원까지 승차해서, 대학에서 컴퓨터 전공하고 졸업 후 지금까지 컴퓨터 관련 업무를 해왔는데, 너무 컴퓨터 모니터를 집중해서 오래보다 보니 시력에 문제가 생겼다고 한다. 안경을 착용해도 시력이 나오지 않아 동네 안과병원에서 7년간 치료 받았는데 정확한 병명이 안 나와, 서울대병원에서 정밀검사 결과 노환이라고 하여 어이가 없었다고 한다. 서울대병원에서만 4년째 치료중인데, 망막을 조절하는 근육들이 너무 약해져 시력 조절 작용을 못한다고 하며, 처방약을 복용해도 좋아지지 않고 모든 사물이 두 개로 겹쳐 보여 답답하다고 한다.

불편한 개인택시

약만 복용하지 말고 눈 운동을 열심히 해 보라고 하니, 아이들과 젊은 친구들도 최근 핸드폰 과다사용으로 노화된 시력을 가지고 병원에 많이 오는데, 의사 지시에 따라 핸드폰 화면 보는 시간 줄이고 눈 건강 운동하니 조기에 회복이 되기도 하는데, 본인은 될지 모르겠다고 한다. 그래도 밑져봐야 본전인데 유튜브에서 다양한 눈 운동과 건강에 좋은 음식들 소개하고 있으니 최소 3개월은 따라 해보라고 하니, 늦었지만 한번 해보겠다고 한다. 부디 눈 운동을 통해서 시력을 회복하길 바라며, 컴퓨터 관련 업무를 하고 있는 두 아들과 승객들에게도 주의를 주어야겠다.

혈액치료
어르신

　　　　　　분당 서울대병원에서 수지까지 택시
로 모신 87세 여성 어르신이 택시를 태워주어 고맙다고 거듭 인
사를 하시며, 건강검진 결과 혈액이 부족하다 하여 혈액 주사를
맞으려고 오전에 큰아들 자동차로 병원에 왔었는데, 대기인력
이 많다며 오후 4시에 다시 오라고 해서 다시 와서 오후 4시부
터 3시간 동안 혈액주사를 맞았다고 하신다. 모든 치료가 끝나
고 집에 가려고, 병원에 대기하고 있는 택시기사에게 수지까지
가자고 했더니 안 간다고 해서, 집에 어떻게 가나 걱정하고 있었
는데 내가 와줘서 너무 고맙다고 하신다.

　92세 남편과 함께 살고 있는데 큰아들은 한양대에서 전자공

학을 전공하고 개인 사업을 하고 있고, 둘째 딸은 연세대학교에서 영문과를 졸업하고 미국 남자와 결혼하여 미국에 살고 있다고 하신다. 막내 아들도 연세대학교 의과대학을 졸업하고 현재 서울 청담동에서 성형외과를 운영하고 있다고 하시며, 자식들이 공부를 잘해주어 보람이 있었고 고마워서 모두 집을 사주었다고 자랑하신다. 미국에 사는 딸도 30년 모기지로 집을 샀는데 일시불로 다 지불해 주셨다고 하며 덕분에 딸이 집에서 어깨 힘 좀 주고 살고 있다고 하신다.

어르신 집에 가는 도중 할아버지가 5분마다 전화를 하시는데 주사 맞고 몸 컨디션은 좋아졌는지, 어디쯤 왔는지, 몇 시쯤 도착하는지를 물어보신다. 할아버지와 금실이 좋으신가 봐요 했더니, 온 얼굴에 웃음이 가득한 표정으로 좋다고 하시며 평소 이 시간이면 할아버지가 주무시는데 오늘은 내가 집에 도착할 때까지 기다릴 것이라고 하신다. 어르신 아파트 입구에 도착하니 할아버지가 현관 앞에서 환한 미소를 머금고 할머니를 반갑게 맞이해 주시는 것을 보니, 정말 행복한 부부의 모습을 보는 것 같아 내 마음도 훈훈했다.

재산증여
어르신

분당에서 이동하는 85세 어르신이 택시에 타서 자식이 몇이냐고, 결혼은 시켰냐고 물어보신다. 아들만 둘인데 모두 결혼하지 않겠다고 한다 하니 본인 이야기를 하신다. 아들 있어봐야 아무소용 없다며, 두 아들들에게 각각 25억씩 증여를 해주었는데 어쩌다 부모 집에 찾아오는 자식들이 사과 한 개라도 사들고 오길 바라지만, 항상 빈손으로 온다고, 내 자식들은 다를 줄 알았는데 아니었다며 서운함을 드러내신다.

본인의 아내가 몸이 불편해 분당 서울대병원에 자주 가는데, 남은 재산 70억을 자식들에게 물려줘 봐야 지금까지 행동을 봤을 때 고마워하지도 않을 것 같고, 물려줘도 상속세로 35억 가까

불편한 개인택시

이 내야 하니, 어떻게 해야 할지 모르겠다고 하신다. 아내가 자주 다니는 분당 서울대병원에 10억 정도 기부하시면, 어르신 이름이 서울대병원 기부자 명단에 포함되어 병원 한쪽 벽면에 붙여지고, 아내분이 서울대병원 갈 때마다 기다리지 않고 VIP실로 모셔지고, 담당 의사들이 VIP실로 찾아와서 모든 치료를 해드리니, 살아서 대접받으시고 보람도 있으실 것이라고 말씀드렸더니, 적극적으로 알아보겠다고 하신다. 어르신을 상대로 하는 유튜브 강의 중에 절대로 자식에게 미리 재산을 주지 말라고 신신당부하는 영상이 꽤 있는데도, 많은 어르신들이 자식들에게 재산을 서둘러 주고 홀대받고 계신듯하여 씁쓸하다.

뇌졸중
환자

　　　　　　분당에서 일산까지 콜을 받아 출발
지에 도착하니 중년 여성이 휠체어에 앉아 있다. 일단 부축해서
택시 조수석에 태우고 휠체어를 접어 뒷 트렁크에 넣는데 들어
가질 않는다. 환자 도우미가 다른 택시들은 뒷 트렁크에 넣고 끈
으로 묶고 갔었다고 하는데, 묶을 끈도 없고 그건 좋은 방법이 아
닌 것 같아, 휠체어를 접어 이리저리 방향을 잡아보니 거꾸로 한
채 뒷좌석에 들어갔다. 걸음 보조기도 뒷 트렁크에 넣고 택시를
출발하니, 5년 전 뇌출혈로 인한 뇌졸중으로 쓰러져 의식 없이
산소 호흡기를 꼽고 50일 만에 깨어났고, 담당 의사가 그대로 삶
이 끝나든지 눈을 떠도 식물인간이 될 것이라고 했는데, 다행히
의식이 돌아와 지금까지 재활 운동하며 살고 있다고 한다. 뇌졸

　　　　　　　　　　　　　　　불편한 개인택시

중 전에는 남들보다 훨씬 건강 체질이었고, 미국 서부 그랜드캐니언에 여행가서도 당일치기로 새벽 4시에 출발하여 계곡 밑에까지 내려갔다 올라오는 34km 거리를 하루에 주파해도 별로 피곤한 줄 모를 정도로 건강해서, 이렇게 사전 증상도 없이 뇌졸중이 올지는 전혀 몰랐다고 한다. 가끔씩 피곤했던 것 외에 다른 증상은 없었고 뇌졸중으로 쓰러지기 전 뇌 CT, MRI까지 정밀검사를 했을 때도 아무런 이상이 없었다고 한다.

재활치료는 병원마다 치료 방법이 다른데 일산이 본인에게 가장 잘 맞는다고 한다. 최초 재활치료는 신촌 세브란스병원에서 시작했는데, 담당의사가 약 처방도 잘하고 재활치료도 좋다고 해서 갔는데, 시설은 소문만큼 좋지 않았고 병원에도 3주간만 치료가 가능하다고 해서, 3주 후 다른 재활병원으로 옮기는데 세브란스에서는 1달 치 약만 처방받았다고 한다. 세브란스에서 3주간 치료비만 5,000만원이 나왔는데, 한 달 후 세브란스 담당의사에게 처방을 요청하니, 다른 병원에서 처방을 받았기 때문에 본인은 못 해준다고 했다며, 그때 처방전이라도 받아둘 걸 그랬다며 아쉬워한다. 약 처방전은 가족들이 받지 않았느냐고 물으니, 병원내부 처방이라 병원약국에서 약만 받았다고 한다. 지금이라도 필요하면 병원에 가서 처방전 내역 달라고 하면 준다고 하니, 이미 세월이 흘렀는데 이제 무슨 소용이 있겠냐고 하며, 주변에 누가 세브란스에 동일한 재활치료 받는다고 하면 꼭 처방전 챙기라고 얘기해 준단다.

　분당 중앙공원에 7년 전 뇌졸중으로 왼쪽이 마비된 분이 하루도 안 빠지고 중앙공원 헬스장에서 운동을 하는데, 지금은 왼쪽 팔만 일부 접혀있고 그 외에 다른 부분은 대부분 돌아왔다고 하니 관심을 가진다. 집 가까운 곳에 판교노인복지관이 있으니 그곳에 회원 등록하고, 오전에 복지관 내 헬스장에 가서 재활운동하고 구내식당에서 점심 해결하고 집으로 오면 좋지 않겠느냐고 하니, 올해로 만 60세가 되어 노인 회원등록이 가능하니 내일이라도 꼭 가봐야겠다며 고마워한다. 모쪼록 꾸준한 운동과 식이요법으로 20kg 이상 늘어난 체중도 관리하고 빨리 건강이 회복되길 기대해 본다.

간암환자

          판교 더블트리바이 힐튼호텔에서 분당서울대병원까지 콜을 받아 호텔에 도착하니, 서울대병원 환자복 위에 점퍼를 입고, 머리에 붕대를 감은 70대로 보이는 노인과 젊은 여성이 기다린다. 남자만 택시에 태우며 여성이 병원으로 잘 모셔달라고 부탁하며 택시 문을 닫는다. 같이 안 가시냐고 물으니 남자가 병원에 입원 중인 환자인데 병원으로 돌아가야 해서 혼자만 보낸다고 한다.

          택시 출발과 동시에 따님이냐고 물어보니 아내라고 하면서, 본인이 55세지만 훨씬 더 늙어 보이는데 이는 지난해 11월 발견한 간암 때문이라고 한다. 간암이면 간은 암 부분을 잘라내도 다시 재생이 되니 큰 문제가 없지 않느냐고 하니, 예전엔 간암이면

암이 대부분 2~3cm 크기였는데 본인은 한 달에 5cm씩 자라 현재 15cm 크기라고 한다. 매월 5cm씩 자라는 암에 염증이 계속 발생하고 있어, 일단 염증 치료에 전념하는 중인데 마이신 링거를 맞아도 큰 차도가 없어 답답하다고 한다. 면역력이 좋아지면 조금 차도가 있지 않을까 해서, 병원 계단에서 오르내리기 운동을 하다가, 넘어지면서 머리를 다쳐 붕대를 하고 있다고 하여, 걸음 보조기를 이용해서 무리하지 말고 천천히 같은 층 복도를 걷는 것이 안전할 것이라고 권유하였다. 병원에 오래 있다 보니 병원 밥이 맛이 없어, 외식하러 나왔다가 돌아간다고 하는데, 잘 먹고 잘 자야 면역력도 좋아지는데 병원 밥이 맛없으면 요즘 음식 배달이 병원까지 되는데 먹고 싶은 것 배달시키라고 했더니, 그 생각을 못했다며 고마워한다.

본인은 지난 정부에서 권장하는 대로 코로나 백신을 5차례 모두 맞았는데, 지금 생각해 보니 의학적으로 검증도 되지 않은 백신을 너무 많이 맞은 것이 간암의 이상증식 원인이 아닌지 의심이 간다고 한다. 담당의사도 백신접종 이후부터 이런 현상이 발생하기 시작했다고 말하지만 백신과의 연관성을 밝힐 수도 없으니 답답하다고 한다.

불편한 개인택시

최근 국내 최고의 자동차회사 부사장을 지낸 선배가 매주 골프를 즐길 정도로 건강했는데, 40여 일 전 뇌경색으로 쓰러져 전신이 마비됐다가 병원치료로 우측반신 마비로 회복됐으나 여전히 한 시간에 800m 정도만 겨우 걸을 수 있는데, 그 선배도 코로나백신을 5차례 맞았다고 했던 것이 생각나, 그 선배도 백신의 부작용 때문이 아닌가 하는 의심이 들었다. 백신이 의학적으로 충분히 검증되지 않았다며, 백신접종을 거부한 집사람과 아들 둘 모두 현명하게 대처했다는 생각이 들었다.

2개월 후 선배 병문안 가서 자초지종을 들어보니, 당일 오후 1시경 오른쪽 팔과 다리에 저림 현상이 강하게 와서 주무르다가, 거실 소파에 앉으니 증상이 없어져 잠시 저렸나 보다 생각하고, 오후 4시경 집 근처 어린이집에서 손주를 데리고 오는데, 다시 오른쪽 팔과 다리에 통증이 와서 동네병원을 방문하니 바로 119로 전화하며 큰 병원으로 가라고 했다고 한다. 119 응급차량으로 집 근처 성모병원 응급실에 도착해서도 특별한 외상이 없어 대기하다가, 나중에 의사가 보고는 긴급하게 뇌 CT, MRI 검사하고 첫 번째 투약을 그제야 했는데, 최초 증상 후 이미 9시간이 지난 조치여서 골든타임 4시간을 훌쩍 지나버려, 오른쪽 부위를 관장하는 뇌가 이미 손상이 되었다고 한다. 처음 동네병원에 갔

을 때 담당 의사가 119만 부를 게 아니라 혈전용해제 약만 복용
시켰어도, 훨씬 예후가 좋았을 텐데 하는 아쉬움이 크다.

또 다른 지인은 코로나 백신 접종 후 가슴이 답답하여 분당
서울대병원 심장전문의에게 갔더니, CT 검사결과 심장혈관이
많이 막혔다며 혈전용해제를 처방하고 6개월 뒤 다시 보자고 해
서, 급한 마음에 CT를 복사해 친구에게 소개받은 심장전문의에
게 갔더니, 큰 병원으로 가라며 소견서를 써주어 바로 현대아산
병원에 갔다고 한다. 아산병원 검토결과 스텐트 시술을 해야 한
다며, 1달 후 일정을 잡아주며 강한 혈전용해제를 처방해 주었다
고 한다. 혈전용해제를 한 달간 복용하니 혈액이 묽어져 수시로
코피가 났었고, 예정된 시술일 하루 전 코로나에 감염되어, 1개
월 연기한 후 손목혈관을 통해 시술을 받았는데, 마취에서 깨어
나자 의사가 축하한다며 혈관이 70% 막혀있었는데 현재 35%
수준이라 50% 이상일 때 적용하는 스텐트를 삽입하지 않았다
고 한다. 결과적으로 분당서울대병원 의사가 바른 처방을 했었
다고 여겨지지만, 같은 증상에 대해서도 의사마다 처방이 달라
예후가 전혀 다르니, 우리나라는 각자도생이 답이라는 생각이
여전히 든다.

불편한 개인택시

자식에게
증여

　　　　　　　　서판교에서 분당세무서까지 80대 남
자 어르신이 승차해서, 3월이라 부가세 신고 외엔 특별한 업무
가 없을 것 같은데 무슨 일로 가시느냐고 하니, 세무 관련 서류가
필요해서 가신다고 한다. 2남 1녀 자식들에게 모두 집 한 채 씩
결혼선물로 사주었는데, 스스로 벌어서 살기보다 끊임없이 부모
에게 돈을 요구하는데 실망이 크다고 하시며, 본인은 전라도 이
리 출신이고 부모에게 물려받은 땅을 아직도 그대로 보존하고
있는데, 자식들이 앞으로 농사지을 일 없으니 그 땅을 팔아서 달
라고 한다며 한숨을 쉬신다.

　　　예전의 두 어르신 얘기를 하면서, 어차피 땅 남겨봐야 자식들

이 모두 처분하고 서로 많이 가지려고 싸움질할 것이 예상되니, 어르신이 처분해서 아내분과 맛있는 것 드시고, 국내외 보고 싶은 것 다 돌아보시고 입고 싶은 것 다 입어 보면서, 가능한 모든 돈 다 쓰고 가시는 것이 가장 좋고, 그러고도 여유가 있으면 어르신 이름으로 고향 학교에 장학금으로 기부하면, 어르신 이름도 오래 남고 좋지 않겠느냐 말씀드리니 좋은 생각이라며 고맙다고 하신다, 어르신 세대에서는 먹을 것 안 먹고 입을 것 안 입고 허리띠 졸라매고 열심히 살아오셨는데, 요즘 세상이 변하고 세태가 변하다 보니 점점 더 세대 간 간극이 커지는 것 같아 아쉬움이 느껴지는 대화였다.

불편한 개인택시

인공
심장박동기

정자동에서 신촌 세브란스병원까지 여자 어르신이 승차해서, 나이는 86세로 93세 할아버지와 25평 아파트에서 살고 있으며, 심장 MRI검사 받으러 둘째 며느리가 기다리고 있는 병원으로 가신단다. 본인은 심장 박동기를 달고 있어 가까운 분당 서울대병원에 다니고 싶으나, 서울대병원에서 박동기를 설치한 세브란스에서 치료 받으라고 해서, 할 수 없이 멀지만 3개월에 한 번씩 서울로 간다고 하신다.

할아버지는 6.25전쟁에 병사로 입대했다가 장교시험을 보고 장교가 되어 평생 군 생활을 하셨는데, 월남전 참전 중 살포된 고엽제 부작용으로 대장암, 직장암, 전립선암을 앓으셨고 이젠 집에서 종일 TV만 시청하고 계신다고 한다. 운동을 위해 집안에서만 걸음보조기를 사용해 걷고 있는데, 밖에 나가서 걸으라고 해도 자존심이 강해 남들이 보면 보조기가 창피하다고 안 나가신다고 한다.

과거 남편이 군에서 근무할 때 아들 셋을 키우기엔 급여가 터무니없이 부족하여, 본인이 돈 놀이와 부동산 단기투자로 지금의 부를 이루었고, 아들 셋 모두 장가보내며 집을 사주었다고 하신다.

큰 아들은 고려대학을 졸업하고 섬유업체를 운영하고 있는데, 과거에는 호황이었으나 요즘은 현상유지 중이라고 하시며, 과거 아들이 스위스 여행을 보내줄 때 항공기 1등석을 끊어주어 항공기 옷장도 사용해보고 컵 라면도 서비스 받았다며 자랑하신다. 지금도 매주 큰 아들이 부모를 보러 오고 있다며 행복해하신다. 큰아들 부부가 서울 정릉에서 30여 년, 분당으로 이사 와서 30년을 같이 살았는데, 코로나시절 모두 집안에서 꼼짝 못하던 시절 큰며느리가 우울증이 오는 것을 보고, 바로 25평 아파트를 구입해서 독립하셨고 그 결과 큰며느리가 시간이 걸리긴 했지만 1년이 지나며 회복되어 지금은 정상이라고 하신다.

둘째 아들은 경기대를 졸업하고 중장비 운전을 해왔는데 요즘 건설경기기 안 좋아 다른 업종에서 일하고 있고, 둘째 며느리도 시간제 알바를 하고 있는데 부모는 항상 안 되는 자식이 눈에 들어온다고 하시며, 둘째 아들이 좀 더 큰집을 구입할 수 있도록 자금을 지원하여 나중에 아파트 모기지로 고생하지 말고 여생을 살도록 해줄 계획이라고 하신다.

셋째 아들은 연세대학교 공대를 졸업하고 IT 관련 사업을 하고 있는데 사업도 잘되고, 하나있는 아들이 미국에서 유명한 의대를 다니고 있는데 방학에 한국에 오면, 본인이 다 치료해 줄 테니 할머니 꼭 오래 살아달라고 한다며 흐뭇해하신다.

인터넷 검색을 하니 인공 심장 박동기는 작은 휴대용장치로, 흉부 피하에 이식한 후 전극선이 심장에 연결되도록 하여, 심장이 정상적인 심박수를 유지하도록 해주는 장치로, 평상시 심박수가 분당 50회 미만인 서맥성 부정맥이 있는 환자들에게 사용을 권장하고 있다고 한다.

재산상속
분쟁

분당에서 강남까지 60대 남성 승객이 탑승해서 상속재산 문제로 머리가 아프다며 사연을 늘어놓는다. 3년 전 아버지가 유언장 없이 돌아가시면서 상가와 아파트를 남기셨는데, 유족인 어머니와 2남 2녀인 자식들이 상속세를 줄이기 위해, 상가는 어머니와 2남 1녀가, 아파트는 싱글로 부모님과 한집에 살아왔던 막내 여동생이 상속 받는 것으로 신고하고, 세금을 모두 지불했다고 한다. 상가 월세는 어머니가 살아계시는 동안 생활비로 사용하도록 조치를 하였는데, 이후 막내 여동생이 어머니 통장과 인감을 관리하면서, 지출내역에 대해 일체 공개를 안 한다고 답답해한다. 아버지가 돌아가시기 전 3년간을 누나가 병원에 다니며 모두 수발하고, 본인은 아버지 상가관리를 맡아왔는데, 그 여동생은 직장에 다닌다는 핑계로 일체 한 것이 없다고 한다.

최근 어머니 명의로 된 일산 땅값이 올라, 아파트와 상가를 합친 것 보다 가격이 높아지자, 여동생이 이를 독차지 하려고 치매증상이 있는 어머니를 모시고 법무사 사무실에 가서, 일산 땅의 모든 지분을 본인 단독상속이 되도록 유언공증을 한듯하여 불안하다고 한다. 상속법 개정으로 유류분도 없앤다고 하는데, 상속에 관한 어떠한 문제든 변호사의 조력을 받으며 법대로 처리할 자신이 있다고 요즘 위세가 상당한데, 볼 때마다 언짢고 어떻게 대응할지 난감하다고 한다.

일단, 어머니는 병원에서 치매판정을 안 받은 상태라 유언공증이 이루어졌다면 합법적이라서, 유일한 대응방법은 어머니를 모시고 다른 법무사 사무실에 방문해서, 나머지 2남 1녀에게 전 재산을 물려준다는 유언공정을 따로 받아놓고, 가능한 빨리 병원에 모시고 가서 치매등급 판정을 꼭 서둘러 받으라고 조언해 주었다.

그렇게 대비하면, 여동생이 단독상속 유언공정을 다른 형제

몰래 받아 두었다고 해도, 어머니 사후에 재산은 공동분배가 될 것이고, 받아두지 않았다면 치매판정 이후에 받은 것은 법적효력이 없으니, 어떠한 경우든 충분한 대응이 되지 않겠느냐고 제안하니, 정말 좋은 아이디어라며 택시비 보다 많은 보너스를 지불하고 하차한다.

재산이 있는 어르신들이 자식들 간의 재산분쟁을 예방하기 위해서는, 가능한 많이 본인들을 위해 돈을 쓰고, 합법적인 유언장을 미리 준비할 필요가 있어 보인다.

불편한 개인택시

새 자녀의
상속

서현동에서 경기도 광주까지 60대 남
자 승객이 탑승해서 이야기를 시작한다. 수년전 부인과 사별하
고 아들 하나와 외롭게 살고 있었는데, 교회 후배의 소개로 남편
과 사별한 8년 연하의 뉴질랜드 교포여성을 만나, 재혼해서 행복
하게 살고 있다고 한다. 새롭게 만난 배우자에겐 대학을 졸업한
아들과 고등학교에 다니던 딸이 있는데, 현재 아들은 국내 대형
건축설계업체에서 해외 업무를, 딸은 중국 상하이에서 영어강사
를 하고 있다고 한다.

교포인 배우자의 남편이 세상을 떠난 후, 지방에서 엄청난 재
력가였던 시아버지가 돌아가셨는데, 당시 전남편의 형제자매가

모두 재산을 나누어 가졌고, 최근에 시어머니가 돌아가시면서 시어머니 명의의 재산도 형제자매들만 나누어 가지려고 하다가, 설계업체에 다니는 아들이 할머니 장례식을 참석하면서 이 모든 사실을 알게 되었다고 한다. 그 이후 아들은 아빠의 형제들로부터 여러 차례 상속포기할 것을 강요받았지만 동의하지 않았고, 문제제기를 하자 여러 차례 협의 후, 지방 시내 중심가에 있는 토지를 두 남매 이름으로 상속받게 되었다고 한다. 마음 같아서는 과거 할아버지 재산도 분할 상속받고 싶었으나, 기간도 이미 많이 지났고 지루한 소송도 예상되어 그 건은 포기하였다고 한다.

어느 집이나 상속재산이 있으면 꼭 욕심을 내는 사람들이 있고, 이를 해결하기 위해서 서로 길고 긴 법적 분쟁을 이어가는데, 나름대로 현명하게 처리된 것 같긴 하면서도, 친형제가 타국에서 암으로 수년간 투병하다가 젊은 나이에 일찍 세상을 떠났고, 홀로 먼 타국에 남겨진 배우자가 어린 조카들을 키우며 고생하는 것을 다들 알고 있었다는데, 가족누구도, 심지어 할머니조차도 그 많은 유산을 조금도 나누려 하지 않았다는 사연에 가슴이 먹먹해졌다.

불편한 개인택시

베풂에 대한
반응

        70대 초반 남자 승객이 탑승하여 본인 이야기를 시작한다. 부친이 대구 근처에서 엄청난 땅 부자로 사셨는데, 위로 형과 누나 둘이 있는 종가집 막내로 성장했다고 한다.

  부친이 살아계실 때, 4남매 앞에서 논 20마지기는 막내에게 준다고 하셨는데, 등기이전까지는 안 해 놓고 돌아가셔서, 결국 형이 모든 재산을 가져갔다고 한다. 섭섭했지만 그럼에도 불구하고 본인이 대학 졸업하고 수원 S 전기에 근무하며 살고 있을 때, 대구 형의 자녀 중 큰딸은 1년 동안, 큰아들은 2년을 보다 나은 학업환경을 위해 수원에서 데리고 있었다고 한다.

형은 사업하다가 부모님이 물려주신 대부분의 땅을 매각하였고, 폐암에 걸려 6개월 시한부 삶을 판정받자, 온 가족들 앞에서 부모님이 계신 선산은 장손인 아들에게, 부친 명의인 하나 남은 야산은 예전에 논 20마지기를 부친 유지대로 못 챙겨준 본인에게 주겠다고 선언하고 세상을 떠났다고 한다.

하지만 이번엔 조카들이 동의를 해주지 않아 등기이전을 못하였고, 결국 본인 권리를 모두 포기하고 야산도 장조카가 가지라고 모든 서류를 다 해주었다고 한다. 그 이후 조카 3남매들 저희끼리 서로 다툼이 생겼는지, 1년이 지나도록 등기 이전이 안되고 있다고 한다.

형님 사후에 막내 조카는 경북대에 우수한 성적으로 다니고 있었는데, 형편이 어려워 본인이 등록금을 3학기 지원해 주었는데도, 어려울 때 삼촌이 지원을 해주지 않아, 학교 장학금으로 본인 스스로 대학을 마쳤다고 친척들에게 거짓을 말하고 다녔다고도 한다.

본인은 힘 닿는 데까지 성의 껏 베풀고 배려했는데, 돌아오는 건 원망 뿐인 것 같아 서운하고 무엇이 잘못인지 모르겠다고

불편한 개인택시

해서, 형부터 논 20마지기를 뺏어가는 처신을 했는데, 그걸 보고 배워온 자식들에게 뭘 기대하느냐고, 모두 잊어버리고 마음 맞는 가족들만 보고 사시라고 했지만, 씁쓸한 마음이 들었다.

급체 환자
구하기

10월이 튀르키예(터키) 여행하기에는 최적이라는 인터넷 기사를 보고, 10일간 여행사 패키지를 구입하여 터키 여행을 다녀왔다. 16명이 한팀이 되어 두바이를 거쳐 터키에 입국하는 여행 프로그램으로, 가는 도중 두바이의 대표적인 관광지 네 곳을 방문하고 저녁에 이스탄불로 들어가는 비행기를 이용하였다.

현지에 도착하고 보니 16명 중 개인으로 여행 온 사람들이 나를 포함해서 4명이었고, 그중 두 명은 여성으로 환갑기념 여행자 1명, 바람 쐬러 온 1명과 머릿속이 복잡해서 비우기 위해 온 50대 남성 한 명이 한 조가 되었다.

서로 영혼이 자유로운 사람들끼리 잘 만났다고 하면서, 7일
간 52인승 버스에 가이드 포함 17명이 탑승하고, 4,200km에 이
르는 터키 구경을 무사히 잘 마쳤다.

모든 여행을 마치고 이스탄불에서 밤 11시 30분 비행기에 탑
승하여 두바이로 이동 중, 식사 후 잠을 자고 있는데 누군가 나를
흔들어 깨운다. 우리 일행 중 여성 한 분이 쓰러져 의식불명인데
빨리 가보라고 한다. 급하게 비행기 뒤쪽으로 달려가 보니, 싱글
로 온 여성 한 분이 쓰러져 있는데 얼굴이 백지장처럼 하얗고 의
식이 없이 누워있다. 스튜어디스 한 명이 머리를 받치고 있고, 다
른 한 명은 다리를 주무르고 있고, 또 다른 한 명은 산소 마스크
를 씌우고 있었다. 얼른 손가방에서 지압봉을 꺼내 수지침에서
배운 반응점을 찾아, 의식이 돌아오게 하는 손바닥 포인트와 급
체를 치료하는 반응점을 누르니, 바로 환자의 몸이 반응하는 것
이 느껴졌다. 반응점을 누르는 데에도 반응이 없으면 심각한 것
인데, 다행히 몸의 반응이 오는 것을 보고 3번 정도 반응점에 자
극을 주니, 환자가 의식이 돌아오고, 얼굴색이 붉은색으로 돌아
오는 것이 보인다. 승무원들의 도움을 받아 의자에 앉히니 점차
몸이 전반적으로 회복되는 것이 보이고, 주변에 있던 모든 승무
원들과 여행 동반자들이 내게 박수를 보낸다.

나중에 본인에게 들은 이야기지만, 당시 기내식을 먹고 급체가 되어 화장실에 가서 구토를 하려고 했는데, 안에 사람이 있어 기다리다가 그냥 쓰러졌다고 한다. 덕분에 큰 도움을 받았다고 하며, 귀국 후 서울 잠실에서 아들과 함께 나와 저녁식사 대접을 거하게 샀다. 두 사람 모두 수지침 효과에 놀랐다며 꼭 배우고 싶다고 한다. 아주 기분이 좋은 저녁 시간이었다.

절친의
돌연사

정자동에서 성남중앙병원까지 남자 승객이 탑승해서, 장례식장으로 빠르게 가 달라고 한다. 오랜 친구와 지난주 만나 점심 식사를 같이하고, 어제 오전 10시에 친구가 몸이 안 좋아 집에 가서 쉬겠다는 통화를 했는데, 오늘 아침 사망했다는 통보를 받고, 도저히 믿을 수가 없어 장례식장으로 급히 간다고 한다.

병원에 가는 도중 여러 친구들에게 전화로 사망 소식을 알리는데, 처음에는 모두 믿지 못하는 듯 했다. 올해로 59세인 친구는, 3년전 코로나 백신 접종 후 황달이 발생하여, 분당 서울대병원에서 입원 치료를 받았다고 한다. 그 이후 아무런 건강상의 문

제가 없었고, 큰아들은 28세로 직장에 다니고 있고, 늦둥이 둘째
는 이제 고등학교 1학년인데, 생명보험이라도 들어있어야 하는
데 염려가 된다고 한다.

큰딸은 중국 북경대 4학년이고, 둘째 딸은 칭화대 합격해서
입학을 앞두고 있는 내 친구 한 명이, 55세에 저녁 잘 먹고 아내
와 공원 산책 후, 자다가 심장마비로 119 도움받아 병원으로 옮
겼지만, 의식불명과 반신마비로 오랫동안 요양병원에서 누워있
는데, 긴 병에 효자 없다고, 이젠 친구들도 면회 가지 않는다고
하니, 그렇게 살아 있는 것 보다는, 한 번에 가버린 친구 상황이
더 낫다는 생각이 든다며 자기 위안을 삼는다.

59세 동갑 친구들 모임에서 한 번도 죽음에 대해서 심각하게
서로 얘기해 본 적이 없는데, 이렇게 갑자기 친구가 떠날 줄은 몰
랐다며, 정말 황망하다고 한다. 나이 50이 넘으면 저세상 가는데
순서가 없으니, 평소 스스로 대비를 해야겠다고 한다.

　　　　　　　　　　　　　　　불편한 개인택시

삼성의 위기설

분당에서 강남까지 70대 초반 남성이 승차해서 본인이 삼성전자 임원출신이라며 삼성의 위기설에 대해 이야기를 한다.

삼성회장인 이재용은 사법 리스크 때문에 경영자나 엔지니어보다는 법률 전문가에 둘러싸여 경영에 전념할 수 있는 기회를 상실하였고, 대부분의 임원진들은 회사에 대한 충성보다는 현실 안주에 중점을 두고 있고, 50대 중년 직원들은 60세 정년만 바라보며 시간 보내고 있고, 젊은 삼성 맨들은 워라벨을 이유로 처리할 업무가 있어도 칼퇴근하는 문화가 삼성을 망쳐놓았다고 한다. 미국에 수십조원을 투자하여 건설해 놓은 반도체 공장도 주문이 없어, 최소한의 인력만 남기고 모두 철수하는 분위기라고 한다.

나도 과거에 삼성에서 연구소장으로 근무하였고, 택시를 시작하면서 만나본 대만의 TSMC 반도체 엔지니어들이, 1년 전부터 삼성반도체에 대해 경고하는 목소리를 수차례 들었고, 미국 엔비디아에서 근무했던 한국인 교포도 연구원으로 일하며 평균 퇴근시간이 새벽 2시였고, 월화수목금금금으로 일했는데 보수는 충분히 받았지만, 건강이 받쳐주지 않아 3년 만에 그만 두었다고 하니 승객이 삼성이 다시 가야 할 방향이라고 한다.

판교에 있는 게임업체들도 과거에는 중국이 기술경쟁이 안되었는데, 지금은 우리보다 훨씬 위에 있다며 게임업체 미래에 대해 걱정을 하고 있다. 중국의 경우는 저렴한 인건비로 개발인력을 2교대로 뽑아, 24시간 풀로 개발실을 운영하면서 기술개발을 하고 있고, 최근에 나온 "오공"이라는 게임부터는 우리보다 훨씬 수준이 높아졌다고 한다.

나라의 미래를 위해서는 근로자의 복지도 좋지만, 이미 올라버린 인건비를 내릴 수는 없으니, 미국의 엔비디아처럼 충분한 보수를 지불하면서 최대한의 실적을 만들어 낼 수 있는 조직으로, 시급히 변환해야 하는 시기가 온 것 같다.

불편한 개인택시

첫 번째
승객

2023년 12월 5일 영업을 시작하며 3 번의 콜만 받고 귀가하는 것을 목표로 첫 번째 콜을 받은 곳이 수내동 푸른마을이었다. 내비게이션을 따라 승객 위치에 도착하니, 대형 여행용 가방을 3개 가지고 있는 남자승객이, 벤을 여러 차례 불렀지만 응답이 없어 일반택시 콜을 했다며, 서현역 공항버스 예약시간에 맞추어 태워다 줄 수 있느냐고 물어왔다.

택시 연수교육에서 배운 내용대로 하면 트렁크에 짐을 다 실을 수 없어 탑승 거부해야 하는 승객이지만, 사정이 딱하니 뒷 트렁크에 하나, 뒷좌석에 2개의 여행용 가방을 싣고 승객을 조수석에 태워 출발했다. 미국 LA에 사는 50대 후반 교포인데, 미국에서 애들 다 키워 독립시켰고, 최근 미국에서 설렁탕 한 그릇이 35,000원이 넘을 정도로 물가가 오르고 이젠 나이가 들어, 한국에 돌아오려고 지난 두 달간 전국 이곳저곳 살만한 곳을 알아봤는데, 방문해 본 장소 중 속초가 뒤에 설악산이 있고 앞에 동해 바다가 있어 가장 좋았다며, 그곳으로 이사 올 것이라고 한다. 공항버스 탑승 예정시간 5분 전에 정류장에 도착하여 여행 가방을 모두 내려주니, 고맙다며 명함을 달라고 한다. 한국에 들어오면 연락할 테니 속초로 놀러 오라고 한다. 이것도 인연인데 연락주면 가겠다고 하며 즐거운 마음으로 첫 운행을 마쳤다.

첫 번째
술 취한 승객

서현역에서 콜을 받아 승객을 태우니, 40대 중반으로 보이는 남자 승객이 타자 술 냄새가 택시 내부에 가득 찼다. 목적지인 군포까지 국도, 고속도로 중 어느 쪽이 좋으냐고 물으니 국도로 가자고 해서, 서현역을 출발하여 서판교를 지나던 중 승객이, 군포에 있는 지인과 전화 통화를 했는데 저쪽에서 오지 말라고 한다며, 다시 서현역으로 돌아가자고 한다. 승객이 원하는 대로 차를 돌려 서현역 근처에 도착하니 다시 군포로 가자고 한다. 또 다시 차를 돌려 이번에는 고속도로로 가기 위해 판교 현대 백화점 앞을 지나는 순간, 승객이 아까 통화 내용이 기억났는지 다시 또 서현역으로 돌아가자고 한다.

불편한 개인택시

택시를 또 다시 처음 출발지로 돌아와서 어떻게 할 거냐고 물으니, 택시요금을 카드로 계산하며 일단 내려서 생각해 보겠다고 한다. 야간 택시운행 중 만취한 꼬장 승객을 만나면 어떻게 해야 하나 염려했는데, 나름 조용한 취객을 만나 행운이었던 것 같다.

첫 번째
신호위반

초등학교 앞 30km 속도제한 구역에서 승객을 태우고 가면서, 속도표시를 보고 속도를 27km로 줄여서 가는데 신호등이 노란색으로 바뀌었다. 급정거하기에는 승객에게 무리가 될 것 같아 가던 대로 서행했고 잊고 있었다.

며칠 후 분당 경찰서에서 신호위반 과태료 부과서가 우편으로 와서 내용을 보니, 벌점 12점에 과태료 12만원 내라고 하며 벌점을 피하려면 13만원을 정해진 일정 안에 지불하란다. 컴퓨터를 켜고 신호위반 당시 사진들을 경찰서 홈피에서 확인하니, 신호위반 여부가 확인이 안 되어 다음날 분당경찰서 교통과로 찾아갔다. 사정 설명을 하니 노란색 신호로 바뀌고 차가 진행하

는 동영상을 보여주며 0.2초 위반으로 교통 카메라에 찍혔다고
한다.

   교통신호가 변경되면 우리 눈이 보고 뇌가 인식하는데 20대
는 0.5초, 60대는 평균 1초가 걸린다는 교통교육원 책자를 보여
주며, 어쩔 수 없는 휴먼에러가 있는데 이런 부분은 교통카메라
에도 적용되어 일정한 여유를 주어야 되는 것이 아니냐고 따지
니, 그 자리에 교통경찰이 있었으면 그냥 지나갔겠지만 교통카
메라가 자동으로 찍은 신호위반은 어떻게 해 줄 수가 없단다. 그
러면서 앞으로는 노란색 신호등은 빨간색 신호등으로 인식하
고, 무조건 멈추는 것이 답이란다. 울며 겨자 먹기로 13만원을 지
불하고 나왔지만 기분이 꺼림칙한 사건이었고, 이후론 노란색
신호등에서는 가능한 멈추려고 노력하고 있지만, 뒷 차량의 추
돌 염려와 오래된 습관이 있어 쉽지는 않다.

택시
비상등

성남 택시에는 택시 갓등 스위치 검은색과 성남 콜 스위치 분홍색이 핸들 왼쪽 아랫부분에 상하로 설치되어 있다. 둘 다 스위치를 아래위로 누르면 켜지거나 꺼지는 기능이 있는데, 갓등 스위치는 중간으로 하면 등이 꺼지고, 아래로 내리면 승객 모르게 택시지붕에 설치된 갓등에 비상 라이트가 깜빡이도록 되어있다. 영업을 마치고 아무런 생각 없이 성남 콜 스위치를 내려 전원을 끄고 자가용으로 갈아타고 사무실로 갔다. 점심식사 후 택시 안에 지갑을 두고 온 것이 생각나 집사람에게 확인을 시키니, 택시 갓등이 계속 깜빡이고 있다고 고장 난 것 아닌지 확인해보라고 한다.

불편한 개인택시

바로 집으로 왔지만 작동시스템을 모르니, 갓등을 설치한 택시미터 회사에 전화를 했다. 전화를 받은 여주인이 무조건 택시를 가지고 수리소로 오라고하여 수리소에 도착하여 담당 엔지니어에게 물어보니, 스위치 조작이 잘못 되었다며 갓등 스위치를 위로 눌러주니 바로 비상라이트가 꺼진다. 이렇게 간단한 것을 몰랐던 나도 답답했지만, 여주인이 전화로 알려주었으면 굳이 수리소까지 오지 않아도 되었었는데 하는 아쉬움이 남았다.

며칠 후 택시 운행 중 서울 친구에게서 전화가 왔다. 친구 자가용 앞에 가는 택시의 비상등이 깜빡이는데, 경찰에 신고해야 하는지 물어와 신고하라고 했다. 잠시 후 친구가 다시 전화해서 경찰이 왔는데, 택시기사가 실수로 비상등을 켜 놓았다고 한다. 누군지 나와 비슷한 택시기사가 또 있구나 하는 생각에, 택시 신입교육에서 이런 경우에 대비한 추가교육이 필요하다고 여겨졌다.

장거리
승객 콜

저녁 식사 후 9시 30분경 운행을 마치려고 준비하는데, 목적지가 울산시로 콜이 왔다. 너무 늦은 시간이기도 하고 자신도 없어, 콜을 거절하였더니 잠시 후 다시 콜이 왔다. 이번에도 거절하고 택시를 몰고 서현 공항버스 정류장으로 가는데 또 울산까지 콜이 왔다. 목적지가 너무 멀어 모든 택시들이 콜을 거절하고 있는 것 같아, 사정을 들어보려고 승객에게 전화를 했다.

울산에서 부친이 위독하여 임종을 보고자 하는데, 시간상 다른 교통수단을 이용하기가 어렵다고 한다. 개인적인 사정은 딱하지만 하루 오전 2~3시간, 저녁식사 후 2~3시간만 운행하는

불편한 개인택시

내 실력으로는 도저히 감당할 수준이 안 되어, 힘드시겠지만 급할수록 돌아가라고 얘기하면서, 택시로 가도 임종을 볼 수 있다는 확신을 100% 할 수 없으니, 강남 고속버스터미널에서 심야 고속버스로 내려가는 방법을 추천해 주었다. 그 후 연락이 되지 않아 어떻게 울산까지 갔는지는 모르지만, 무사히 임종을 보았기를 빌어본다.

택시운행 3개월째 일요일 아침, 경남 창원시까지 가자는 콜이 왔다. 잠깐 망설이다가 취소하고 지도를 찍어보니, 4시간 운행에 Toll 비까지 약 39만원 정도가 나온다. 아직은 장거리가 자신이 없는데 언제쯤이나 자신 있게 응할 수 있을지 궁금하다.

영업종료 후
승객

올 겨울 들어 가장 추운 날 저녁영
업 3시간을 종료하며, 택시 갓등, 카카오 앱, 성남 콜 모두 퇴근모
드로 변경 후 집으로 오는 도중, 중앙공원 정문 앞에서 젊은 여성
이 급하게 팔을 흔들어 택시를 세운다. 무슨 일이 있나 싶어 차
를 세우고 물어보니, 아침에 차를 가지고 출근하여 중앙공원 공
용 주차장에 세워 놓았는데, 날이 추워 차량 배터리가 방전되어
자동차 시동이 걸리지 않는단다. 핸드폰, 신용카드, 지갑까지 모
두 집에 두고 자동차만 타고 왔는데, 집까지 가는 길이 막막하니
좀 태워달라고 한다. 나도 퇴근길이라고 얘기하고 어디까지 가
느냐고 물어보니 성남에 집이 있단다. 추운 날씨에 그대로 밖에
둘 수 없어 일단 태우고 택시를 출발하면서 무임승차가 아닌지

불편한 개인택시

이것저것 물어보니, 본인 말이 사실인 것으로 판단이 되었다.

성남시내 산 위 좁은 골목길과 가파른 언덕을 올라 목적지에 도착하니, 집에 가서 카드를 가지고 와야 하니 잠시만 기다려 달라고 한다. 승객을 기다리는 시간이 3분이 지나자, 순간적으로 그냥 가야 하는가 하는 생각이 들었지만, 조금만 더 기다려 보기로 했다. 5분이 지나는 순간 승객이 헐레벌떡 뛰어와서 카드를 내민다. 택시요금 계산 후 승객이 연신 고맙다며 인사를 하며 사라지는데, 추운 날씨에 보람 있는 일을 한 것 같아 기분이 좋았다.

첫 번째
자동차 사고

2023년 12월 5일부터 시작한 개인 택시 운행은, 초기 1주일은 오전에만 2, 3시간 영업하였고, 2주차부터는 오후에도 2, 3시간 분당과 판교에서만 영업을 하였다. 2024년 1월 3일 서현동 먹자 골목에서 콜을 받아, 승객위치로 가서 승객을 태우고 정지 상태에서 비상등을 켜고 목적지를 내비에 입력하는데 오른쪽 뒷 범퍼에 커다란 충격이 가해졌다. 얼른 차에서 내려 보니, 도요다 승용차가 가만히 서있는 내차를 추돌한 것이었다.

상대방 운전자가 핸드폰사용으로 앞을 보지 못했다고 하며, 100% 본인 과실로 보험처리 한다고 한다. 택시 뒷좌석에 앉았던 승객은 다른 택시를 불러 떠났고, 이전 택시 소유자에게 전화하니, 보상금 많이 받으려면 무조건 병원에 입원하란다. 병원에 입원할 정도는 아니라고 하고, 상대방 보험사와 사고 처리중인데 뒷좌석에 앉았던 승객이 목이 아프다며 전화를 해왔다 상대방 보험사에 얘기하니 나도 승객도 필요하면 병원치료 받으라고, 사고보험 번호를 제공해준다. 차량 뒷 범퍼 교체에 3일, 물리치료 6회로 종료하고, 상대방으로 부터 사고 관련 보상금과 택시 운전자 보험금을 지급받고, 모든 절차를 종료했다.

2014년 1월 14일 1차 교통사고 후 11일째 되던 날, 서현에서 광주에 있는 대형교회까지 아이들 둘을 데리고 젊은 여자가 탔다. 가는 도중 전화 통화를 들어보니, 이혼한 부부사이에 아이들 양육문제로 양측에서 서로 아이들을 데려가려고 다툼중인데, 엄마 편에서 일단 애들을 교회로 도피시키는 중인 것 같았다. 교회 앞에 승객을 내려주고 분당으로 오는 중 3.4km 떨어진 거리에서 콜이 왔다. 승객과의 거리가 2km 넘으면 안 받아야 하는데, 콜을 한곳이 외딴곳이고 분당으로 복귀하는 방향이라 별 생각 없이 콜을 승낙했다.

아파트에 도착하니 여자 분이 내가 너무 멀리서 콜을 받아,

빈 택시 두 대를 보냈다면 한의원에 약속이 잡혀 있으니 빨리 가자고 한다. 성남 중앙동 공원로로 가는 도중 터널이 2개 나왔고, 첫 번째 터널을 지나고 두 번째 터널에 들어가서 시속 50km 제한이라 47km로 가고 있는데, 터널이 왼쪽으로 급하게 휘어져 있어 시야가 많이 짧아졌다. 코너를 도는데 갑자기 1차선 10m 앞쪽에 차들이 정차해 있는 것이 보여서, 브레이크를 밟으며 2차선으로 차선 변경 했지만, 10m 이내 거리에 또 정차된 차가 있는 것을 보는 순간, 급브레이크를 밟아도 제동거리가 이미 부족하여, 앞 차량 뒷면을 정면으로 추돌하는 사고는 피하기 어려울 것으로 판단되었다. 정면 추돌 충격을 줄이고자 브레이크를 밟으며, 터널 내 가장자리 경계석으로 차를 몰아, 오른쪽 바퀴로 경계석에 추돌시키면서 멈추려고 하였지만, 경계석에 부딪힌 차가 반동으로 튀어 나오며, 도요타 SUV 오른쪽 후면과 측면을 받아 버렸다. 다행히 다친 사람들은 없었지만, 앞차 운전자와 택시 승객에게 필요하면 치료 받도록 조치하고, 내차와 상대방 차량수리를 맡겼는데, 수리비가 예상보다 많이 나와 내년도 자동차 보험 인상에 얼마나 영향을 줄지 염려가 된다. 승객이 아무리 바빠도 천천히 안전하게 운행해야 하고, 2km 이상의 콜은 가능한 받지 말아야겠다는 다짐을 확실하게 하게 된 사고였다.

불편한 개인택시

요양병원
환자 모시기

        정자동 요양병원에서 콜을 받아 도착했는데 승객이 보이질 않아 전화를 하니, 어르신이 거동이 불편하니 조금만 기다려 달라고 한다. 3분이 지나도 소식이 없어 다시 전화를 하니, 좀 더 시간이 걸린다고 택시미터기를 누르고 기다려 달라고 하는데, 승객도 타지 않았는데 미터기를 누르기가 미안해서 그냥 기다리는데, 10분쯤 지나 'ㄷ'자 걸음 보조기를 잡고 어르신이 천천히 걸어오신다.

    어르신을 모시는 여자 분이 며느리로 보이는데, 어르신을 택시에 앉히기에는 시간도 많이 걸리고 힘도 부족해 보여, 얼른 차에서 내려 직접 어르신을 부축해 차에 태워드리고, 걸음 보조기도 접어 뒷 트렁크에 넣은 후, 미터기를 누르고 택시를 출발하니 어르신이 고맙다며 만족해하신다.

분당 서울대병원으로 가는 도중에도, 처음으로 택시기사의 부축을 받아봤다며 계속 칭찬을 하시고, 병원에 도착한 후 재빨리 내려 보조기를 펴드리고 부축해서 내려드리니, 며느리도 고맙다고 인사하고 어르신은 주머니에서 지폐를 꺼내 보너스로 주시며 연신 고맙다고 하신다. 일부 택시들이 몸이 불편한 어르신을 모시면, 승하차에 시간이 많이 걸려 콜을 회피하는 경우가 있는데, 나라도 열심히 봉사하는 마음으로 해야겠다는 생각이 드는 보람 있는 운행이었다.

나중에 택시조합에서 선배 택시기사 분들에게 그 얘기를 하니, 부축해 드리다 잘못되면 독박을 쓸 수도 있으니, 앞으로는 도움을 주지 말라고 한다. 그래도 보람이 있는 일이니 계속해야겠다.

수지침
치료

성남 태평역에서 지하철을 이용하여 분당 서울대병원 근처 미금역까지 이동 중, 초등학교 4학년인 아들이 배가 아파 이매역에서 도중하차하여 콜을 한 엄마와 아들을 태웠다. 병원까지 가는 중 아이가 계속 배가 아프다고 하여, 아이 엄마에게 내 손바닥에서 위와 장에 해당하는 위치에 지압 봉으로 누르는 시범을 보이고, 지압 봉을 건네며 아이 손바닥에 동일한 방법으로 밑에서부터 위로 선을 따라 지압을 가하며 이동시키면, 아이가 특별히 아파하는 포인트가 있으니, 그 지점을 찾으라고 하니 바로 실행한다. 지압 점을 옮기는 중 아이가 특별히 아프다는 지점이 나와서, 그곳을 10초간 누르고 3초간 멈추었다가 다시 누르기를 반복하라고 하니, 3회 반복 후 아이가 "엄마

아픈 게 다 사라졌어"라고 한다.

　아이 엄마가 무척 신기한 듯 어떻게 이게 가능하냐고 물어서, 예전에 배운 수지침을 설명하며, 평소 택시 안에서 시간 날 때마다 심장, 위, 췌장, 장, 신장 등의 내장을 강화시키는 손바닥 지점을 지압 봉으로 마사지 하는데, 매우 효과가 있다고 설명하고, 지압 봉이 없어도 본인 엄지손톱으로 반대쪽 손바닥 반응 점을 누르면 된다고 하니, 아이에게 앞으로 배 아프면 그렇게 하라고 알려주며, 본인도 수지침을 공부해 볼 것이라고 한다. 예전에 산에 다닐 때도, 산에서 식사 후 급체로 고생하는 사람들을 여러 차례 지압 봉으로 치료해준 경험이 있었는데, 오늘도 효과를 보니 예전에 수지침 배운 것이 참 잘했다는 생각이 드는 운행이었다.

　　　　　　　　　　　　　불편한 개인택시

지랄도
풍년

　　　　　　　　강남에서 성남시까지 부부가 성남 콜로 승차했는데 목적지까지 내비가 뜨지 않는다. 열에 세 번은 성남 콜에서 자주 발생하는 문제라 목적지를 다시 물어보며 카카오 내비에 입력하려는데, 남편이 산성역으로 가자고 한다. 일단 차를 출발시키고 신호 대기 중 일 때 내비에 산성역을 입력시키니, 어디 택시인지 남편이 물어본다. 분당에 차고지를 둔 성남택시라고 대답하니, 갑자기 언성을 높이며 성남택시가 산성역도 모르면서 어떻게 택시운행을 하느냐고 따지며, 기본이 안 된 기사라며 계속 잔소리를 한다. 개인택시를 시작한지 8개월째이고 주로 분당과 판교에서 운행하다 보니, 성남 시내도로를 세밀하게 몰라, 잘못된 코스로 가지 않기 위해 내비에 목적지를 입력하는데 무슨 문제가 있느냐고 하니, 또 화를 내며 잔소리를 반복한다. 승객에게 그럼 성남에 사시는데 분당이나 판교를 나만큼 잘 아느냐고 물어보니, 본인은 택시운전을 안하는데 왜 그런 것을 알아야 하느냐며 더 화를 내니, 승객의 아내가 열심히 말려보았지만 막무가내다.

그래서 "이 택시가 마음에 들지 않으면 내려드릴까요?" 하고 물어보니 승객을 강제로 하차시키려 한다며, 승차거부로 신고하겠다며 가까운 파출소나 경찰서로 가자고 해서, 모든 대화가 블랙박스에 녹음되어 있으니, 나도 운행방해로 고소하겠다고 대응하니, 승객의 아내가 분명히 내릴 것인지 의사를 물어 본 거라고 하며 남편을 강하게 말린다. 우여곡절 끝에 목적지에 도착해서 승객을 내려주며, 지랄도 풍년이라고 소리치고 분당으로 돌아왔지만, 정말 세상은 넓고 또라이도 많은 것 같다.

불편한 개인택시

고속화도로에서
출구 오류

        판교역에서 고등동까지 오전 9시경 포인트 콜을 받아 중년부부를 태웠다. 판교에서 내비를 따라 분당 내곡간 고속화도로를 따라가다가, 여수대로와 대왕판교로가 만나는 사거리 전에 오른쪽으로 빠지는 도로가 있어, 오른쪽으로 빠지는 것만 생각하고 운행하다가, 두 번째 우측이 아닌 첫 번째 우측 출구로 순간적으로 진입하고 보니 안양-성남 고속도로 입구였다. 이미 고속도로에 진입한 자동차를 되돌릴 수가 없어, 승객에게 상황을 설명하고 시간이 급한지를 물어보니 다행히 급한 일은 없다고 한다.

        내가 실수한 것이니 택시비는 받지 않겠다고 하고, 내비를 확인하니 편도 4,5km를 20km 이상 추가로 돌아가야 하는 길이었다. 출근 시간이라 조금 막히긴 했지만, 북의왕 IC까지 갔다가 돌아오면서 목 캔디도 제공하고, 이번에 출판하는 내 책 이야기를 하면서 대화를 하다 보니, 승객이 누구나 실수는 하는 법인데 괜찮다고 하면서 덕분에 드라이브 잘했고, 내 책이 나오면 꼭 사보겠다고 해서 기분 좋게 운행을 마쳤다.

이후 카카오 콜을 받기 위해 내비를 확인하니, 택시 요금을 입력해야만 다음 콜을 받을 수 있다는 문자가 보여, 기본요금만 입력해보니, 주행거리와 요금이 안 맞는다고 다시 입력하라고 계속 문자가 보여, 금액을 올려 입력하니 모든 절차가 종료되었다. 결과적으로 내가 승객에게 약속한 무료운행이 되지 않아, 카카오콜 서비스에 전화하여 운행 금액을 취소시키니, 승객에게도 취소 통보까지 모든 내용이 문자로 간다고 했다. 나중에 알게 되었지만, 카카오 콜 메뉴 중 운행이력에 들어가면 결제 취소하기 버튼이 있어, 그냥 선택만 하면 되는 상황이었다.

잠시 후 승객이 적정요금은 받아도 되는데 일부러 이렇게까지 약속을 지켜주어 고맙다며, 안전 운전 하시라는 문자를 보내오는데 큰 실수를 무난하게 처리한 것 같아 기분이 좋았다.

불편한 개인택시

에필로그

에필로그

　하루하루 시간의 무료함을 달래기 위해 시작한 개인택시 운행에서, 단순히 운전만 하기 보다는 치매예방 차원에서 다양한 승객과의 대화를 소재로 쓰기 시작한 에피소드들을 모아, 계획에 없던 책을 출간하게 되었습니다.

　매일매일 다양한 장소를 방문하고, 다양한 승객들과 다양한 대화를 나누며 재미있고 의미 있는 대화들을 하나 둘 글로 옮긴 것들을 아들이 읽어본 후, 그대로 버리긴 아깝다고 책으로 내보라고 한 것이 계기가 되어, 한 권의 책을 완성하게 되었습니다.

　택시기사의 입장에서 본 "행복한 개인택시", 승객의 입장에서 본 "불편한 개인택시" 제 3자의 입장에서 본 "택시에서 본 세상"

제목들 중, 500여 명의 승객 중 99%가 선택한 "불편한 개인택시"를 제목으로 결정하게 되었고, 선택에 도움을 준 승객들에게 감사의 마음을 전합니다. 더불어 다양한 대화를 통한 에피소드들이 독자들의 삶에 긍정적인 영향을 미치기를 기대합니다.

승객 1순위는 병원 승객, 2순위는 어린이집 승객, 3순위는 외국인 승객, 4순위는 일반승객으로 구분하여, 오늘도 좋은 사람들을 만나기 위해 열심히 달리고 있습니다.

마지막으로 이 책이 출간되기까지 다양한 지원을 해준 가족들, 친구들, 출판사 임직원들에게 감사의 마음을 전합니다.

불편한 개인택시

오늘도 '사람'을 만나러 갑니다

발행일 2025년 2월 24일

지은이 김웅주
펴낸이 마형민
기획 신건희
편집 곽하늘 강채영 김예은
디자인 김안석 조도윤
펴낸곳 주식회사 페스트북
편집부 경기도 안양시 동안구 관악대로 488
씨앗트 스튜디오 경기도 안양판교로 20
홈페이지 festbook.co.kr

ISBN 979-11-6929-703-5 03810
값 16,500원